BERNHARD BLUME

THOMAS MANN UND GOETHE

1949

A. FRANCKE AG VERLAG BERN

INHALTSÜBERSICHT

VORBEMERKUNG

Die vorliegende Arbeit ist eine durchgesehene und wesentlich erweiterte Fassung einer Aufsatzreihe, die 1944 unter dem Titel «Thomas Manns Goethebild» in den *Publications of the Modern Language Association of America* erschienen ist. Für die freundliche Genehmigung zum Wiederabdruck der bereits veröffentlichten Teile sei der Schriftleitung der genannten Zeitschrift hiermit der aufrichtige Dank des Verfassers ausgesprochen.

Columbus, Ohio, im März 1949.

Bernhard Blume

I

SPIEGELUNG

Zu den großen, noch ungelösten und am Ende wohl unlösbaren Aufgaben literarischer Betrachtung gehört auch eine umfassende Wirkungsgeschichte Goethes. Begnügte man sich damit, den Einfluß Goethes auf andere Dichter oder das ständige Wachsen seines Nachruhms aufzuzeichnen, so erschiene die Aufgabe allenfalls lösbar; versucht man aber, worauf doch so viel mehr ankäme, den lebendigen Bezug und die formende Kraft zu erfassen, die er auf andere Menschen, und damit auf die Welt, ausgeübt hat und noch immer ausübt, so gerät man in unüberwindliche Schwierigkeiten. Denn eine solche Wirkung läßt sich nur sehr unvollständig durch Zeugnisse belegen. Zwar gibt es die Glücksfälle: Menschen, denen die Gabe des klärenden Wortes verliehen ist und die von Herder bis zu André Gide und Thomas Mann freundschaftlich oder abwehrend Rechenschaft abgelegt haben von Goethes Bedeutung in ihrem Leben. Auch könnte man daran denken, dichterische Wirksamkeit, wenigstens bis zu einem gewissen Grade, aus der Höhe von Buchauflagen und der Häufigkeit von Theateraufführungen abzulesen; was Raum in den Spalten der Tageszeitungen und den Lehrplänen von Schulen und Universitäten findet, muß ja wohl eine Wirkung haben. Doch läßt sich so nur feststellen, was gedruckt, gekauft, bezahlt oder angeboten wird; wie viel davon aufgenommen und wahrhaft angeeignet wird, verliert sich im Ungewissen.

Goethe selbst hat die Frage seiner Wirkung zeitlebens ungeheuer ernst genommen. Nicht aus Poeteneitelkeit, nicht weil er besonders hungrig nach Erfolg gewesen wäre, sondern weil ihm das Wesen des Menschen mit seiner Wirkung zusammenfiel, weil er Wesen nur als Wirkung verstehen konnte. «Denn eigentlich unternehmen wir umsonst, das Wesen eines Dinges auszudrücken», heißt es im Vorwort zur «Farbenlehre». «Wirkungen werden wir gewahr, und eine vollständige Geschichte dieser Wirkungen umfaßte wohl allenfalls das Wesen jenes Dinges.»[1] Das gilt vom Menschen im allgemeinen und vom Dichter im besonderen genau so: sie sind für Goethe unmittelbar nicht erfaßbar. In einem kleinen Aufsatz «Englisches Schauspiel in Paris» hat Goethe einmal deutschen und französischen Charakter an der Betrachtung Shakespeares einander gegenübergestellt. Er spricht von der gründlichen Verfahrensweise der guten Deutschen — und er rechnet sich selbst zu ihnen —, die in die Wesenheit des «unbezwinglichen» Shakespeare einzudringen versuchen und die mit aller Bemühung doch nicht zum Ziele gelangen. Die Franzosen hingegen kümmern sich nicht um die Wesenheit von Dichter und Dichtung, sie «achten auf die Wirkung», und hierauf kommt für Goethe «denn doch eigentlich alles an».[2] Erst durch *Wirken* wird der Mensch für ihn *wirklich,* nur als tätiges Wesen existiert er; der nicht tätige Mensch ist im Grunde nicht vorhanden. «Das sicherste bleibt immer», schreibt er an Zelter, «daß wir alles, was in und an uns ist, in Tat zu verwandeln suchen».[3]

So kann der Mensch nicht still stehen; sein Leben ist nicht Sein sondern Vorgang, eine beständige Metamorphose, ausstrahlende Kraft, zeugender Drang, Umwandlung von Substanz in Energie. Nicht das Geleistete ist Goethe wahrhaft wichtig, sondern das damit Bewirkte; auch Kunstwerke haben, wie Menschen, im Grunde nur Bedeutung, soweit sie fruchtbar werden. Das nicht zu leugnende unablässige Bemühen, mit dem Goethe an der Bildung und Steigerung der eigenen Person gearbeitet hat und das ihm immer wieder als Egoismus vorgehalten worden ist, ist letztlich gar nicht auf ihn selbst gerichtet; nur *das* Erworbene hat Geltung, das wieder ausgegeben wird. Gerade darin sieht Goethe seinen Gegensatz zu gewissen Romantikern, den Brüdern Schlegel etwa und ihrem persönlichen Geltungsbedürfnis, ihrer unfruchtbaren Selbstsucht, ihrem Literatengezänk: «wir», schreibt er im Rückblick auf diese Epoche seines Lebens an Zelter, «wir wollen das alles wie seit so vielen Jahren vorüber gehen lassen und immer nur auf das hinarbeiten, was wirksam ist und bleibt».[4] Was im Sein beharren will, was sich am Augenblick festklammert, zerfällt, ohne Lebens-Spuren zu hinterlassen, es geht ein in die Elemente wie der Chor in der Helena-Tragödie; echter Wert hingegen dauert in seinen Wirkungen fort. Nur so ist es «der Mühe wert lange zu leben» und zuletzt zu sehen, «wie das Problem unseres Strebens und Irrens sich in die Klarheit der Wirkungen auflöst, die wir hervorgebracht haben».[5]

Diesem Prozeß ewiger Wandlung sieht der alt gewordene Goethe mit Gelassenheit zu. Als im Jahre 1828 eine französische Uebersetzung von Herders «Ideen über die Philosophie zur Geschichte der Menschheit» erscheint, wird ihm das zum Anlaß, fünfzig Jahre zurückzublicken und festzustellen, wie unglaublich dies Werk seinerzeit auf die Bildung der Nation eingewirkt habe, und wie es dann, nachdem es seine Schuldigkeit getan, vergessen worden sei; nun betrachtet er aufmerksam, wie sich Ideenkeime noch einmal in neuem Erdreich entfalten.[6] Leben heißt im andern untergehen und so verwandelt wieder auferstehen; Goethe sieht es in allem und nimmt sich selbst nicht davon aus. Ja, es scheint ihm, daß man sich «durch das, was man anregt, mehr Verdienst erwirbt, als durch das, was man selbst vollbringt»; in der «treuen Fortwirkung auf deutsche Männer und Jünglinge» findet er die Rechtfertigung seiner Existenz.[7] Ungerührt kann er so vom Verbrennen alter Briefe erzählen; was gut in den Briefen gewesen, habe seine Wirkung schon auf den Empfänger und durch ihn auf die Welt vollendet; das übrige falle eben ab wie taube Nüsse und welke Blätter.[8]

Nützlich in einem höheren Sinne, wirksam, fruchtbar zu sein, ist also die Aufgabe des Menschen; dieser Aufgabe hat alle Ausbildung des Innern zu dienen. Genauer: eins ist vom andern gar nicht zu trennen; nur indem er wirkt, formt der Mensch sein Ich, und nur als ein Ich kann er wahrhaft wirken. Es ist eine der Grundmaximen Goethescher Lebensweisheit, daß der Mensch nur auf dem Umweg über die Welt zu sich

selbst gelangt; Faust und Wilhelm Meister allein bezeugen es
zur Genüge. Der scheinbar viel kürzere, direkte Weg nach
innen aber, den manche Romantiker suchten, führt paradoxer-
weise in die Irre, nicht zur Steigerung, sondern zum Verlust
des Selbst. Tätigkeit nach außen also ist die Voraussetzung aller
menschlichen Bildung, ja selbst die *Kenntnis* des eigenen Ich
kann nur auf diesem Wege erworben werden. Nichts erscheint
Goethe so verdächtig wie die bedeutend klingende Forderung:
erkenne dich selbst! Sie kann den Menschen höchstens verwir-
ren, indem sie ihn von der Tätigkeit gegen die Außenwelt zu
falscher, nach innen gerichteter Beschaulichkeit verleitet. Nur
in der Welt und durch die Welt erlangt der Mensch Kenntnis
von sich selbst, und unsere Nebenmenschen besitzen diese
Kenntnis von uns weit eher als wir selbst. «Ich habe daher»,
erklärt Goethe, «in reiferen Jahren große Aufmerksamkeit
gehegt, inwiefern andere mich wohl erkennen möchten, damit
ich in und an ihnen, wie an so viel Spiegeln, über mich selbst
und mein Inneres deutlicher werden könnte».[9] Da nun ein
Dichter auf viele wirkt, und da poetische Werke für viele geschrieben sind, so ist es nötig, daß sie auch von vielen, und das
heißt vielseitig, angesehen werden.[10] Erst von vielen Spiegeln
zurückgeworfen gewinnt das Bild des großen Menschen seine
eigentliche Plastik. Ja, es mag sehr wohl das Zeichen der Größe
sein, daß sie nach vielen Richtungen wirkt, und daß sie nicht
nur *eins,* sondern viele Gesichter zeigt. Dabei rechnet Goethe
ganz bewußt auch die Gegenwirkung mit zur Wirkung: durchaus ernsthaft rät er Alfred Nicolovius, der eine Schrift «Ueber
Goethe» verfaßt hatte und Aeußerungen über Goethe sammelte,
auch das zu sammeln, was *gegen* ihn gesagt sei. Die Menschen,
findet er, hätten, mit Recht und Unrecht, viel an ihm getadelt,
und da es hier ja darauf ankomme, ihn und das Jahrhundert
kennen zu lernen, so sei eben so gut als das pro auch das
contra nötig.[11] Was sich hier äußert, ist das großartige Selbst-
bewußtsein eines Menschen, der sich selbst historisch geworden
ist; und da wo Goethe seine eigene Geschichte schreibt, in

10

«Dichtung und Wahrheit» nämlich, tut er es wie aus der Ferne, fast als ein anderer, der einen werdenden Dichter in das Gewebe einer ganzen Epoche hineinverflochten sieht. Aber damit ist es noch keineswegs genug: was Goethe im Laufe der Arbeit an seiner Lebensgeschichte immer deutlicher wird, ist, «daß es nun über diese Confession eine zweite, und sodann wieder eine dritte, und so bis ins Unendliche bedürfe, und die höhere Kritik würde immer noch zu tun finden».[12]

Das bedeutet, es gibt keine ein für allemal gültigen Urteile über Dichtungen, kein Dichterbild, das feststeht, sondern eine Vielfalt und Folge von Betrachtungen, ein System von Relationen, eine Summierung von Perspektiven, die erst alle zusammen — nicht die Wahrheit, aber eine unendliche Annäherung an die Wahrheit ergeben. Als was ein Dichter erscheint, hängt ja nicht nur von seinem eigenen Wesen ab, sondern zugleich vom Standort des Betrachters, und je länger ein Dichter Wirkung ausübt, desto häufiger werden sich diese Standorte verlagern, desto öfter wird Licht von neuen Richtungen her auf ein scheinbar Feststehendes fallen. Der fünfzehnjährige Goethe, der die Krönung Josephs II. auf dem Römer in Frankfurt miterlebt, ist gewiß ein anderer gewesen, als er in der Darstellung des Fünfundsechzigjährigen erscheint: und doch sind die Erinnerungen des alten Goethe nicht etwa nur der unzulängliche Versuch, eine vergangene Wirklichkeit so weit als möglich wiederherzustellen und manches schon Vergessene, oft mit der Hilfe von Freunden, wieder ins Gedächtnis zurückzurufen; — dies Altersbuch von der Jugend Goethes ist weniger und mehr als die Wirklichkeit; weniger, weil es an der Unmittelbarkeit jugendlich gelebten Lebens nicht mehr teil hat, mehr, weil es von der erreichten Lebenshöhe aus Sinnzusammenhänge sieht, die der im Dasein Befangene nicht einmal ahnt. Doch gibt es nun noch einen weiteren Goethe, den nämlich, der sich dies Verhältnis zweier Altersstufen klar ins Bewußtsein hebt — die Stufe der «zweiten Confession», der Confession über die Confession — und es gibt, in weiterer Spiegelung, den Betrachter, der sich dieser Beziehungen in Goethes Geist bewußt wird. Anders auch las der Zeitgenosse, der die Krönung auf dem Römer miterlebt hatte, Goethes Schilderung, anders liest sie der späte Nachfahre, der den Römer in Trümmern liegen sah.

In dem nachgelassenen Aufsatz «Wiederholte Spiegelungen» hat Goethe versucht, sich von solchen komplizierten Bezügen Rechenschaft zu geben. Anlaß war die Schilderung eines Bonner Gelehrten gewesen, der unter dem Eindruck von «Dichtung und Wahrheit» eine Wallfahrt nach Sesenheim unternommen und darüber berichtet hatte.[13] Goethe beschreibt nun, sich auf seine Liebe zu Friederike beziehend, wie eine Lebensepoche sich im Bewußtsein des Dichters abspiegelt, dort lange erhalten und zuletzt nach außen geworfen wird; dies Nachbild, nach allen Seiten in die Welt gestrahlt, ruft neue Eindrücke hervor, von denen der eine oder andere in die Seele des Urhebers zurückgelangen und wiederum nach außen projiziert werden mag, so daß das Spiel sich fortsetzt, so wie zwei Spiegel, die einander gegenüberstehen, sich ihr Bild immer wieder zuwerfen. Ein solches Phänomen einer unendlichen Reihe von sittlichen Spiegelungen, die überdies nicht etwa zu verbleichen brauchen, sondern sich steigern können, dient nun Goethe als Symbol des Geschichtlichen überhaupt; es verdeutlicht, was in der Geschichte der Künste und Wissenschaften, der Kirche und der politischen Welt sich dauernd wiederholt. Der so denkt, ist ein alter Mann, dem im Lauf eines langen Lebens immer mehr, ja schließlich alles, die eigene Person mitinbegriffen, geschichtlich geworden ist.[14] So bildet sich eine Ansicht des Historischen, nach der nicht nur die Akteure, sondern auch die Zuschauer der Geschichte in immerwährender weiterschreitender Bewegung sind; kein Wunder also, daß die Weltgeschichte immer wieder umgeschrieben werden muß, und zwar nicht weil immer neue Fakten entdeckt werden, sondern «weil neue Ansichten gegeben werden, weil der Genosse einer fortschreitenden Zeit auf Standpunkte geführt wird, von welchen sich das Vergangene auf eine neue Weise überschauen und beurteilen läßt».[15] Goethes Gestalt ist somit, nicht anders wie die jedes historischen Menschen, beständig im Werden; während das Bild des Namenlosen nach seinem Tode verblaßt und mit dem letzten erlischt, der ihn noch gekannt hat, wird das des großen Menschen sichtbarer, während es ferner rückt, und beherrschender, einem Sternbild gleich, das am Horizont emporsteigt.

Die so häufigen dankbaren Aeußerungen Goethes gegenüber Zeugnissen seiner Wirkung bestätigen deshalb den Dank dafür, daß es ihm so ermöglicht wird, im Spiegel fremder Anschauung eine Anschauung von sich selbst zu gewinnen; noch wichtiger aber ist, daß sie ihn seiner Dauer vergewissern, der Lebendigkeit seiner Existenz. Nur der von anderen aufgenommene und anverwandelte Goethe weiß sich fruchtbar, und nur der fruchtbare ist wahrhaft lebendig. Selbst mit dem Einwirken von Gegnern vermag sich Goethe abzufinden, denn «auch der Streit ist Gemeinschaft».[16] Das stolze Bewußtsein der eigenen Größe, die Ueberlegenheit seines geschichtlichen Denkens läßt ihn noch die Feindschaft, auf die er stößt, ins geistige Bild des Jahrhunderts einordnen. Auch ist Gegenwirkung noch immer leichter zu ertragen als Mangel an Wirkung; Liebe sowohl wie Feindschaft verbinden; das Fehlen beider aber isoliert.

Daß Goethe die Wirkung auf die deutsche Nation, die er sich gewünscht hat, nicht gehabt hat, war ihm schmerzlich bewußt. Die häufigen Klagen über seine wachsende Einsamkeit in der zweiten Hälfte seines Lebens beziehen sich im Grunde weder auf seine private noch auf seine literarische Existenz, sondern auf die fehlende Verbundenheit mit Gleichgesinnten. Auch was er in spätem Rückblick zu Eckermann sagt: daß er leicht ein ganzes Dutzend Stücke wie die «Iphigenie» und den «Tasso» hätte schreiben können, wenn er nur seinerzeit mehr Wirkung erzielt hätte,[17] sagt er nicht als Autor, der sich nicht genug geschätzt weiß, sondern als Erzieher, der keine Schüler hinterläßt. Denn Goethes Dichtungen sind ja nicht unverbindliche Gebilde schönen Scheins, die folgenlos genossen werden sollen, sondern Ausdruck gestaltender Kräfte, die auf Formung

und Bildung des ganzen Menschen abzielen. «Meine ethisch-
ästhetischen Bestrebungen» : — diese formelhafte Wendung,
deren sich der alte Goethe so gern bedient, wenn von seinem
Werk die Rede ist, drückt unmißverständlich aus, daß es ihm
in der Dichtung nicht aufs Dichterische allein ankommt, sondern auf eine verpflichtende Idee vom Menschen, die in tätiger
Nachfolge verwirklicht werden soll. Den Unterschied, um den
es hier geht, hat Hofmannsthal einmal aufs prägnanteste
bezeichnet, mit der Bemerkung nämlich, daß Goethes Bedeutung für die deutsche Literatur zwar ungeheuer sei, daß es aber
nicht so sicher sei, ob Goethe eine ähnliche oder überhaupt
irgendwelche Bedeutung für das gegenwärtige deutsche Volk
habe.[18] Dies ist am Anfang des zwanzigsten Jahrhunderts gesagt, aber schon vom Ende des achtzehnten Jahrhunderts an
spricht Goethe als von einer Zeit, wo Deutschland nichts mehr
von ihm wußte noch wissen wollte.[19] «Wie haben sich die
Deutschen nicht gebärdet, um dasjenige abzuwehren, was ich
allenfalls getan und geleistet habe», ruft er ein andermal aus,[20]
und wenn er ihnen bei derselben Gelegenheit vorhält, daß sie
mit seinem Erwerb nicht «gewuchert» hätten, so drückt eine
solche Forderung wiederum aus, wie sehr es ihm darauf ankommt, daß das von ihm Geschaffene ins Leben übergreift und
in Tat verwandelt wird. Die so häufigen und vielbemerkten Ver-
stimmungen des älter werdenden Goethe, sein Zaudern, seine
Unentschlossenheit, seine Mißgelauntheit, sein Mangel an Behagen, seine Zurückgezogenheit, sind nichts anderes als Symp-
tome einer inneren Lähmung, Folgen der Erkenntnis, daß seine
eigentlichsten Kräfte nicht zum Einsatz kommen. Immer wieder
und oft sehr mühsam muß eine Lebenskraft, die gestaut, gehin-
dert und auf sich selbst zurückgeworfen ist, sich freikämpfen
und den Glauben an den Sinn ihres Tuns zurückgewinnen. Es
zeugt durchaus nicht von olympischer Heiterkeit, wenn der siebzigjährige Goethe auf seine Zeitgenossen blickt und feststellen
muß, daß «Mitlebende, von den verschiedensten Richtungen,
unter sich Todfeinde», darin konspiriert hätten, seine lebendige

Wirkung zu lähmen. Zwar fährt er im selben Briefe trotzig fort: «Ich habe dabei nichts verloren...; ich ward, in mich zurückgedrängt, immer intensiver, und so hab ich mich bis auf den heutigen Tag gewöhnt, nur vorzuarbeiten, unbesorgt wie und wo das wirken könne.»[22] Aber ein solcher Trost ist doch nur ein leidiger Trost; in Wahrheit ist der in sich zurückgedrängte Goethe alles andere als unbesorgt, wie und wo er wirken könne. Seine schließliche Erkenntnis, daß seine Sachen nicht populär werden können, daß er nur für einzelne schreibt, ist im Grunde eine tragische Erkenntnis. Denn sie drückt aus, daß ihm die Wirkung «ins Ganze» verwehrt erscheint. Zwar hatte der «Werther» eine beispiellose Wirkung gehabt, aber der «Werther» war Darstellung einer Gefahr, Ueberwindung einer frühen Lebensepoche gewesen; ihm *nicht* nachzufolgen war ja gerade die Mahnung, die Goethe seinen Lesern zuzurufen sich gedrungen fühlte. Auf der Stufe der hohen Lebensmeisterung aber, die Goethe zuletzt erreichte, fand er keinen versinnlichenden Ausdruck mehr, der mit derselben verführerischen Gewalt wie sein Jugendroman die Gemüter ergriffen hätte. So kommt es, daß es kein einzelnes Werk von Goethe gibt, das den *ganzen* Goethe enthielte, auch der «Faust» ist es nicht, und selbst die Werke zusammen drücken ihn nicht völlig aus. Immer wieder ist es empfunden und gesagt worden, daß Goethe größer ist als die Summe seiner Dichtungen, daß er als ein mächtiges Ganzes existiert, von dem die Dichtung nur ein Teil ist. Diese Goethesche Lebensganzheit erscheint uns heute wie die zur Person gewordene Idee Europas. Europa: seit es eine Geschichte hat, ist es mehr als ein geographischer Begriff und weniger als eine gelebte Wirklichkeit, existiert es als ein ideelles Wesen, geistig gebildet aus den formenden Kräften der Antike, des Christentums, aus germanischem Stammestum, römischem Rechtsdenken, östlichen Strömungen. Daß all dies Widersprechende sich verbinden konnte, nicht nur toter Museumskram ist, daß es gelebt werden kann, dafür ist Goethe das eine große Beispiel. Ohne viel Nachdenken, ohne besondere Bewußtheit war Goethe, was erst nach ihm programmatisch gefordert wurde: ein guter Europäer. Durch den ungeheuren Reichtum seiner Natur, durch die Vielfalt seiner Bedürfnisse, durch den Durst, der sich stillen mußte, wo immer die lebendigen Quellen flossen, bildete er sich wie von selbst zum Repräsentanten des Ganzen.

Dieses Ganze, der europäische Geist, war aus vielfachen, zerstreuten, gegensätzlichen, einander fremden Teilen zu einer Einheit zusammengewachsen. Und genau diese selbe Fähigkeit des Aufnehmens, Absorbierens, Einverleibens war auch in Goethe. Vielleicht ist diese verbindende, verarbeitende Kraft das Bezeichnendste an ihm. In diesem Sinne war er ganz ein Geschöpf der Natur, die immer, wo sie voll Lebens ist, auf Verbindung und Integration ausgeht. Die Tendenz zur Trennung, Vereinzelung, Desintegration hingegen ist das sichere Zeichen des Verfalls.

Der Drang, Menschen, Dinge, Ideen immer wieder an Goethe zu messen, sie zu ihm in Beziehung zu setzen, hat, so viel auch immer darüber gespottet worden ist, seinen guten Sinn. Denn das Verhältnis eines Menschen zu Goethe sagt bis auf die Gegenwart hin Entscheidendes über seine Wesensart aus. Die Goethe-Nähe Hofmannsthals, Rilkes, Georges, Hesses, Hauptmanns, Schweitzers, Thomas Manns ist nicht weniger bezeichnend als die Goethe-Ferne Heyms, Trakls, Kafkas, Jüngers. Goethe-Ferne heißt Europa-Ferne. Sich von Goethe abwenden, heißt sich von den innersten Kräften abwenden, die das geistige Europa geformt haben, es heißt, aus Ueberzeugung, aus Gesinnung, aus Verzweiflung, aus Angst, aus welchen Gründen immer, mit einer großen Tradition brechen. Schon Goethe spürte die ersten Erschütterungen des humanen Lebensgefühls, an dem er sich gebildet hatte; ein Wort Niebuhrs aufgreifend, sprach er von der kommenden Barbarei. Was diese Barbarei auch sein mochte, von der Ueberlieferung des europäischen Geistes aus gesehen war sie notwendig eins: das Fremde.

Goethes Wirkung oder Mangel an Wirkung durch zwei Jahrhunderte verfolgen, hieße unter anderem auch den Kampf der

Kräfte verfolgen, welche die Bildung eines einigen Europas gefördert oder verhindert haben. Auch wenn die Ausstrahlung von Goethes Wesen sich zuletzt im Anonymen verliert, so gibt es doch immer wieder große Einzelne, die die Gesinnungen vieler stellvertretend zusammenfassen. Kleists Begegnung mit Goethe etwa wird, unter solchem Aspekt gesehen, zum Sinnbild einer deutschen Entscheidung; nicht minder das Verhältnis Heines, Stifters oder Nietzsches zu ihm. In der unverminderten Fähigkeit, immer wieder die Menschen anzuziehen, abzustoßen, vor Entscheidungen zu stellen, die Gemüter zu klären, zu bilden, zu wandeln, zeigt sich Goethes unerschöpflich scheinende lebendige Kraft; gleichzeitig aber wird in diesem Vorgang noch immer an seinem Bild geschaffen. In diesem Sinne versucht die folgende Untersuchung, am Beispiel Thomas Manns, ein Beitrag zur Wirkungsgeschichte Goethes zu sein.

HERKUNFT

Die außerordentliche und mit den Jahren sich steigernde Anziehungskraft, die Goethes Gestalt auf Thomas Mann ausgeübt hat, beruht schwerlich auf irgendeiner nennenswerten Aehnlichkeit ihrer Naturen. Thomas Mann selbst hat sich zwar, halb im Scherz, zu Goethes «Familie» gerechnet. «Ich bin kein Goethe», erklärt er, ein Wort Adalbert Stifters auf sich anwendend, «aber ein wenig, irgendwie, von weither, bin ich... von seiner Familie.» [1] Gerade wenn man sich klar macht, mit welch großem Recht Stifter dies von sich sagen durfte, wird man zögern, für Thomas Mann denselben Anspruch auf Verwandtschaft zuzugeben. In den großen Rechenschaftsberichten, in denen er sich um Klärung seiner geistigen Abstammung bemüht hat, den «Betrachtungen eines Unpolitischen» etwa oder dem «Lebensabriß», ist es auch keineswegs der Name Goethes, von dem er seine Herkunft ableitet; es sind drei andere, die beständig wiederkehren: Schopenhauer, Wagner und Nietzsche. Sie dienen ihm als Symbol für seine großen Themen und Leitmotive, für das ihm Angeborene und Mitgegebene, für Substanz und Erbschaft, für seine *Natur:* die tiefe «Sympathie mit dem Tode», die dionysische Verführung der Musik, die dichterische Kritik des Lebens.

Man könnte, auf der Suche nach dichterischen Vorfahren, eher noch an Lessing denken als an Goethe. Lessing und Thomas Mann: beide so ausgeprägte Typen des «klugen Dichters», Beispiele für den seltenen und fast wunderbaren Fall, in dem eine große kritische Begabung nicht durch poetisierende Zutaten, sondern gerade durch Steigerung ihres eigentlichsten Wesens schöpferisch wird und zum Lebendigen vordringt, so den vielberufenen Gegensatz zwischen Dichter und Schriftsteller in sich aufhebend. Was Otto Ludwig angesichts der «Minna von Barnhelm» an Lessing rühmte —, die Fähigkeit, «ein einfaches Samenkorn von Stoff so anzuschwellen, daß man beständig interessiert werde», läßt sich mit nicht geringerem Recht von Thomas Mann behaupten. So entwickelt sich der Plan einer autobiographischen Schilderung in den «Buddenbrooks» zu einem Familienroman, der vier Generationen umfaßt, die Arbeit an einer «knappen» satirischen Novelle wächst und wuchert über zwölf Jahre fort, um schließlich auf den 1200 Seiten des «Zauberbergs» ihren Niederschlag zu finden, und die biblische Josephsgeschichte, die freilich schon Goethe «zu kurz» gefunden hatte, schwillt auf der Wanderung aus Deutschland erst in die Schweiz und dann nach Kalifornien auf vier Bände an, bis sie «in allen Einzelheiten» ausgeführt ist.[2]

Was Thomas Mann über Lessing geäußert hat, ist für ihn selbst nicht weniger bezeichnend als für den Gegenstand seiner Betrachtung. «Er ist nie stark im Erfinden», sagt er von Lessing, «er interessiert mit Kleinem und Kleinstem, aber mit einer Fülle davon und beständig.» Und man muß sich fragen, ob hier wirklich nur von Lessing die Rede ist, oder nicht zugleich von Thomas Mann, wenn man liest, was folgt: «Um Handlung ist es ihm wenig zu tun, Geschmack und Begabungsmangel sind da ein und dasselbe; er gibt an Handlung das Minimum, das unentbehrlich ist, der Komposition Rückgrat zu verleihen, aber all sein Geist bewährt sich darin, was er diesem Minimum an Reiz und Wirkung abzugewinnen weiß, wie er es ausbaut, ausbeutet, vertieft, ergründet, facettiert, es bis in den letzten Winkel seiner Motive ableuchtet, wie er durch das, was eigentlich langweilig sein müßte, und es bei jedem anderen wäre, zu unterhalten weiß.»[3]

Diese Fähigkeit des «Facettierens», zu der die Geschmeidigkeit und Fähigkeit des Wortes gehört, und die geistreiche Freude am Drehen und Wenden eines Begriffs, bis ihm ein Aeußerstes an Genauigkeit oder Beziehungsreichtum abgezwungen ist —, all dies zeigt beide, Lessing und Mann, als große Meister deutscher Prosa, selbst noch in ihren Versen. Aber diese ungemeine sprachliche Beweglichkeit verführt doch nie zur bloßen Spielerei; durchaus Lessingisch in Thomas Mann ist der

Ernst, mit dem eine große Begabung sich dem Ethischen unterstellt; Lessingisch ist das ständige Bemühen um Wahrheit und Klarheit, die Grundabneigung gegen das Dumpfe, gegen den bloßen emotionalen Rausch um seiner selbst willen; und Lessingisch ist die durchgehende Neigung zum Erzieherischen und die hohe Bedeutung, die die Idee des Humanen in seinem Werk besitzt.

Die Analogien gehen bis ins Einzelne. Merkwürdig parallel in beiden ist die Aufgeschlossenheit gegenüber «westlichen» Ideen, dem Gedankengut Frankreichs und Englands. Es ist die große historische Leistung Lessings, daß er dem deutschen Geiste die Verbindung mit dem Westen, die durch die Reformation und ihre Folgen verloren gegangen war, wieder verschaffte, und es ist vielleicht kein geringeres Verdienst Thomas Manns, daß er diesen Zusammenhang in einem Augenblick entschlossen festhielt, als Deutschland alle Bande zwischen sich und der Welt zerschnitten hatte. Diese Offenheit den Ideen des Westens gegenüber paart sich bei beiden mit einem ausgeprägten Gefühl für nationale Eigenart: Lessings Kampf gegen Voltaire und die französische Tragödie, Thomas Manns Kampf gegen den «Zivilisationsliteraten» entspringen der Ueberzeugung, daß es dem Fremden gegenüber auf fruchtbare Verbindung, nicht auf sklavische Nachahmung ankommt. Und wenn der eine zornvoll an den Hauptpastor Goeze in Hamburg schreibt, und der andere nicht minder zornvoll an den Dekan der philosophischen Fakultät in Bonn, so bedeutet auch dies gemeinsamen Kampf. Es bedeutet Kampf gegen den Autoritätsanspruch von Mächten, die ihnen jenes Maß von individueller Freiheit zu beschneiden drohen, ohne die ihr Bildungsziel sich nicht erreichen läßt. Es ist die orthodoxe Theologie im einen Fall, der totalitäre Staat im anderen.

Dabei lassen sich die Unterschiede nicht übersehen. Sie liegen zum Teil in der geistigen Situation, im Gegensatz und Abstand von anderthalb Jahrhunderten. Daß Thomas Mann, der in der Nachhut einer Bewegung kämpft, deren Vorhut Lessing geführt hat, den Elan, die Frische, die gläubige Siegeszuversicht seines großen Vorfahren nicht besitzt, nicht besitzen kann, ist verständlich. Man führt Rückzugsgefechte anders als Vorstöße: die komplexe, so vielfach zögernde, vom Zweifel an sich selbst bedrohte und aus tiefer Unsicherheit sich frei kämpfende Haltung Thomas Manns ist dadurch bedingt.

Der deutsche Bürgergeist, der sich von Lessing auf Thomas Mann fortgeerbt hat, ist im Laufe der Zeit skeptischer und flüchtiger, sublimer und problematischer geworden. Die Linie von Lessing zu Thomas Mann führt über Fontane. Wenn Fontanes Biograph Conrad Wandrey in Fontanes Kunst «alle Tugenden der sogenannten Verstandespoeten von Lessings Ahnenschaft her» vereinigt findet, so ist dies ganz im Sinne Thomas Manns.[4] Kaum von einem anderen Dichter hat er je mit solcher Wärme gesprochen, kein anderer hat ihm, wie er sagt, so viel «Sympathie und Dankbarkeit, dies unmittelbare Entzücken, diese unmittelbare Erheiterung, Erwärmung, Befriedigung erweckt» wie Fontane.[5]

Es gibt einen relativ frühen Aufsatz Thomas Manns, aus dem Jahr 1910, über den alten Fontane, der nicht nur als ausgezeichnete Charakterisierung Fontanes Bedeutung hat, sondern sich zugleich wie eine Zusammenstellung aller wesentlichen Motive Thomas Manns selber liest. Er findet da in Fontane viel rationalistisch-humanitäres 18. Jahrhundert, preist seinen Bürgersinn für Zucht und Ordnung, bemerkt seine Künstlerskepsis, die sich gegen Kunst und Künstler selber richtet — eine Haltung, die den Verfasser des «Tonio Kröger» vertraut berühren muß —; aber was ihm vor allem für Fontane kennzeichnend erscheint, ist seine «Kompliziertheit». Fontane sehe alle Dinge von mindestens zwei Seiten, sagt er, und sei so notwendig voll von Widersprüchen. Er umschreibt diese Widersprüche mit einer abkürzenden Formel als Vereinigung von Mythos und Psychologie, und genau dieselbe Formel «Mythos und Psychologie» wendet er später auf seine eigenen Joseph-Romane an. Es ist die Formel, die mehr als irgendeine andere Thomas

Manns künstlerischen Stil bezeichnet. Konservatives und Revolutionäres bestehe in Fontane nebeneinander, sagt er weiter, womit er wieder einen Zug des eigenen Wesens hervorhebt, und mit wahrem Entzücken verweilt er bei Fontanes Kunst der Charakterzeichnung, bei der eigentümlichen, auf Widersprüchen aufgebauten Technik beispielsweise, mit der Fontane eine Gestalt wie Bismarck umreißt. «Sehr groß und sehr fragwürdig» erscheint Bismarcks Gestalt, durch Fontanes «skeptisches Psychologenauge» gesehen; als eine Mischung nämlich von «Uebermensch und Schlauberger, von Staatengründer und Pferdestall-Steuerverweigerer, von Heros und Heulhuber.» [7] Dies sind Antithesen ganz nach dem Herzen Thomas Manns, und in nichts von der Art verschieden, mit der er selbst die Gestalt Friedrichs nachschafft, dieses «zynischen Mönchs im Soldatenkleid», der in seiner Beleuchtung auch «sehr groß und sehr fragwürdig» erscheint. Und am Schluß dieses Aufsatzes, der wohl einer der aufschlußreichsten für die Betrachtung Thomas Manns ist, faßt er noch einmal zusammen, was ihm Fontanes Kunst und Leben zu lehren scheinen: dies nämlich: «Daß erst Todesreife wahre Lebensreife ist.» [8] Nichts anderes lehrt Thomas Manns Kunst auch.

Wenn man sich die grundlegende Bedeutung klar macht, die das Thema des Todes im Werke Thomas Manns hat, dann erscheint auf einmal die Ahnenschaft Lessings wieder zweifelhaft, die Verwandtschaft mit Goethe freilich nicht minder. Mehr an geistigem Erbe ist in ihn eingegangen, als sich mit Hilfe einer einzigen ungebrochenen Entwicklungslinie bezeichnen ließe. Mit Recht hat man den tiefen Zusammenhang Thomas Manns mit der deutschen Romantik betont,[9] und eine Rede wie die staatspolitische Rede «Von Deutscher Republik» vom Jahre 1923, die geplant und angelegt war, um die «noch ungelenken Zungen» reaktionär-renitenter Studenten zum Ruf: «Es lebe die Republik!» zu schmeidigen, und mitten in diesem Vorhaben, ihren eigentlichen Zweck vergessend, in eine faszinierte Untersuchung der «wollüstigen Todesmystik» des Novalis entartet, zeigt aufs eindruckvollste, wie tief in Manns Wesen dies Verhältnis zum Tode wurzelt.

Weitere Züge komplizieren das Bild eines überreichen und widerspruchsvollen Erbgutes. Thomas Mann selbst, der ja wohl der beste Interpret ist, den sein Werk gefunden hat, hat sich als Schriftsteller «einen Abkömmling . . . der deutschbürgerlichen Erzählungskunst des 19. Jahrhunderts» genannt, «die von Adalbert Stifter bis zum letzten Fontane reicht . . . Romantik,» fährt er fort, «Nationalismus, Bürgerlichkeit, Musik, Pessimismus, Humor — diese Atmosphärilien des abgelaufenen Zeitalters bilden in der Hauptsache die unpersönlichen Bestandteile auch meines Seins.»[10]

Man sieht, auch hier ist von Goethe nicht die Rede. Und doch besteht in der Tat eine entscheidende Analogie zwischen Thomas Mann und Goethe; zwar nicht in der Aehnlichkeit oder Verwandtschaft ihrer Naturen, wohl aber in der Gleichgerichtheit ihres künstlerischen Interesses. Dies geht bei beiden auf die eigene Person; sie bildet für jeden von ihnen den eigentlichen Gegenstand seines Schaffens. Jenes vielzitierte Wort von Goethe, daß alle seine Werke Bruchstücke einer großen Konfession seien, besteht mit vollem Recht auch für Thomas Mann.

Aber obwohl das eigene Ich für ihn diese so ganz zentrale Bedeutung hat, so könnte dieses Ich selbst noch immer vom Goetheschen so weit entfernt sein wie das Rousseaus oder Strindbergs, die ja beide auch große Bekenner und Autobiographen waren. Sobald man freilich Rousseau oder Strindberg nennt, rückt sofort Thomas Mann doch sehr nahe an Goethe heran, und zwar deshalb, weil für ihn, wie für Goethe — und im Gegensatz zu den beiden anderen — die eigentliche Aufgabe nicht im *Ausdruck,* sondern in der *Formung* des Ich besteht. Kunst wird zu einer Aufgabe der Selbsterziehung.

«Talent ist ein heikler, schwieriger Begriff,» sagt Mann, «bei dem es sich weniger darum handelt, ob einer etwas *kann,* als darum, ob einer etwas *ist.*»[11] («Man muß etwas sein, um etwas zu machen,» hatte es bei Goethe geheißen).[12] Für den Könner

Thomas Mann versteht sich das Können mehr oder weniger von selbst; seine eigentliche Bemühung gilt dem Sein. Deshalb unterscheidet er sorgfältig zwischen Künstlern wie Ibsen und Wagner auf der einen Seite, deren ganzes Interesse auf dem *Werk* liege, und Goethe auf der anderen Seite, für den es sich ums *Leben* handelt, um Selbstgestaltung. Für diese höchste Aufgabe, sein Ich zu steigern und zu formen wird nun allerdings Goethe das bewunderte Vorbild, und der Gang von Thomas Manns Entwicklung, sein beständiges Ringen um Entfaltung und Wachstum, läßt sich gleichzeitig betrachten als ein Prozeß der fortschreitenden Annäherung an Goethe.

Thomas Mann hat zu Beginn seines «Lebensabrisses», wenn er von seinen Eltern spricht, halb spielerisch darauf hingewiesen, daß der Unterschied ihrer Temperamente ähnlich gewesen sei wie der des Goetheschen Elternpaares, und daß auch er «des Lebens ernstes Führen» vom Vater geerbt habe, und «die Lust zu fabulieren» von der Mutter.[13] Aehnliche Parallelen hat er im Hinblick auf das elterliche Haus gezogen. Er berichtet von seinem ersten Besuch in Goethes Elternhaus am Hirschgraben in Frankfurt, wie urbekannt ihm diese Treppen und Zimmer nach Stil, Stimmung und Atmosphäre erschienen seien; er findet dieselbe Atmosphäre des Patrizisch-Bürgerlichen, des Würdig-Wohlanständigen, die er im eigenen Elternhaus in Lübeck erlebt hatte. Als Urheimat alles Deutschen, «das aus Bürgerlichkeit ins Geistige wuchs,» erscheint ihm Goethes Elternhaus.[14] Und dennoch: Manns Ausgangspunkt liegt nicht bei Goethe.

Es gibt eine frühe Novelle von Thomas Mann, «Schwere Stunde», in deren Mitte Schiller steht. Selbstverständlich eine autobiographische Novelle, in der Schiller als Typus des Künstlers dargestellt wird, zu dem, zum mindesten in jener Zeit, auch Thomas Mann selbst sich rechnen muß. Es ist ein Schiller, der gesehen ist im Licht von Schillers eigenem Aufsatz «Ueber naive und sentimentalische Dichtung». Dieser Aufsatz Schillers nimmt eine zentrale Stellung in Thomas Manns ganzer Essayistik ein; immer wieder bezieht er sich auf ihn und liebt es, die Systematik dieses Aufsatzes anzuwenden, indem er beispielsweise Goethe und Tolstoi zu den naiven, und Schiller und Dostojewski zu den sentimentalischen Dichtern zählt. Die einen, die naiven, streben von der Natur her zum Geist, und die anderen, die sentimentalischen, vom Geist zur Natur. Man wird nicht fehlgehen, wenn man Thomas Mann selbst in diesem Zusammenhang unter die sentimentalischen Dichter einreiht.

In Schiller, nicht in Goethe, findet der junge Thomas Mann sich wieder. Die Gestalt eines Leidenden stellt hier einer vor sich auf, der selber leidet, tief am Leben leidet. Aus Qual und Not wird hier das Werk geboren, aus Zweifel und Ungenügen, unter den Foltern des Mißtrauens an der eigenen Berufung, und zugleich in heroischer Zucht und Selbstüberwindung. Einmal, zweimal taucht in diesem inneren Monolog Schillers auch der Name Goethes auf; und so erscheint er, nicht ohne tiefen Sinn, zum ersten Mal im Werke Thomas Manns, gesehen durch die Augen eines, dem alles fehlt, was Goethe so verschwenderisch mitgegeben ist, und der sich mit neidvoller Bewunderung an ihm mißt und gegen ihn zu behaupten sucht, und gleichzeitig leidenschaftlich zu ihm hindrängt. Wie ein Stachel bohrt der Gedanke an Goethe in dem anderen, der Gedanke an «den Hellen, Tastseligen, Sinnlichen, Göttlich-Unbewußten, an *den* dort in Weimar, den er mit einer sehnsüchtigen Feindschaft liebte».[15] Und noch ein zweites Mal, aus dem Ringen seiner Gedanken heraus, schweift seine Sehnsucht — eine Sehnsucht nach Form, Gestalt, Begrenzung, Körperlichkeit — «hinüber in die klare Welt des anderen, der unmittelbar und mit göttlichem Mund die besonnten Dinge bei Namen nannte».[16]

So, in dem gefühlten Bewußtsein des Gegensatzes erscheint Goethe zunächst in Thomas Manns Welt; aber mit der gleichen Entschlossenheit, mit der Schiller den Weg zu Goethes Person ging, geht ihn später Thomas Mann, mit dem Willen zur Ergänzung und Erfüllung. Es ist ein langer Weg —, er selbst bemerkt gelegentlich, er habe den Weg zu Goethe erst verhältnismäßig spät gefunden.[17] Noch in den «Betrachtungen eines Unpolitischen» wird Goethe zwar viele Male genannt, aber eben nur *genannt,* mit Belegen und als Helfer zur Illustrierung und Verdeutlichung von Einzelheiten der Mannschen Position. Nichts über Goethe ist zu finden, was sich entfernt vergleichen ließe mit den eindringenden Kapiteln über den «Taugenichts» oder über Pfitzners «Palestrina»; noch Lagarde scheint zu dieser Zeit mehr für Thomas Mann zu bedeuten als Goethe.

Doch dann hält er, 1922 in Lübeck, seine grundlegende Rede über «Goethe und Tolstoi», die die neue Wendung zu Goethe ankündigt (1925 erschienen in dem Essayband «Bemühungen»); es folgen «Goethe als Repräsentant des bürgerlichen Zeitalters» (1932) und «Goethes Laufbahn als Schriftsteller» (Corona, Februar 1933), (beide später aufgenommen in «Leiden und Größe der Meister», 1935), neben Betrachtungen einzelner Werke wie dem Aufsatz «Zu Goethes Wahlverwandtschaften» (Neue Rundschau, April 1925) oder den Abschnitten «Aus dem Princetoner Kolleg über Faust» (Maß und Wert, Mai/Juni 1939, später als «Ueber Goethes ‚Faust‘» in «Adel des Geistes», 1945) und der Arbeit über Goethes «Werther» (Corona, Studies in Philology in Celebration of the Eightieth Birthday of Samuel Singer, Duke University Press 1941). 1948 gibt Thomas Mann eine englische Auswahl aus Goethes Werken heraus, «The Permanent Goethe», zu der er ein längeres Vorwort schreibt (gleichzeitig deutsch als «Phantasie über Goethe» in den «Neuen Studien» erschienen); es gibt überdies kaum einen größeren Aufsatz, der nicht irgendwie Zeugnis ablegte für die außerordentliche Bedeutung, die Goethe für Thomas Mann gewonnen hat. Als Krönung aber einer wachsenden Bemühung um Goethe erscheint Goethe selbst als Gestalt im Roman «Lotte in Weimar» (1939).

Dies spät erreichte Verhältnis zu Goethe ist für Thomas Manns eigenes Bewußtsein so beherrschend geworden, daß er darüber für Augenblicke sogar vergessen kann, daß es keineswegs von Anfang an bestanden hat. Es ist zwar außerordentlich bezeichnend für die Stärke von Thomas Manns Sympathie, aber durchaus nicht für die Treue seines Gedächtnisses, wenn er im Jahre 1932, seine ganze Vergangenheit kurzerhand umdeutend, selbst seine frühe Jugend unter dem Zeichen Goethes sieht. «Ja, ich habe ihn geliebt von jung auf, warum soll ich es hier und heute nicht sagen,» bekennt er bei der Eröffnung des Goethe-Museums in Frankfurt a. Main; und in einer offenbaren Selbsttäuschung befangen, die doch zugleich eine eindrucksvolle Kundgebung umfassender Goethe-Verehrung darstellt, fährt er fort: «— mit einer Liebe, die die höchste Steigerung der Sympathie, die Bejahung des eigenen Selbst in seiner Verklärung, Idealität, Vollendung war. Es gab kein Vorbild der Geisteswelt, in dessen Anblick ein solches Vertrauen, eine solche rückhaltlose Hingabe, ein so tiefes Einverständnis möglich gewesen wäre wie hier. Es gab Bewunderung, Faszination, Leidenschaft; es gab Interessantes, an das man sich zeitweise verlieren mochte, um es zu erkennen und unendliche Anregung davonzutragen. Es gab etwa Wagner, Nietzsche, Schopenhauer, Tolstoi... Aber hier überall gab es Vorbehalte, reizvolle Zweifel, skeptische Einwände, passioniertes Mißtrauen... Nicht so bei Goethe. Es war das Vor-Bild in einem anderen und letzten Sinn, das Ur-Bild, das Ueber-Bild, das eigene Wesen ins Vollkommene projiziert, die Möglichkeit einer Liebe und Hingebung überdies, in der das Persönlichste mit dem Allgemeinen verschmolz.»[18]

Man sieht, Goethe bedeutet für Thomas Mann viel mehr als ein künstlerisches Vorbild. Zwar auch dies kann er sein: Thomas Mann hat selbst im Gespräch mitgeteilt, wie er sich bei der Abfassung des «Tod in Venedig» geschult habe, indem er täglich ein paar Seiten aus den «Wahlverwandtschaften» gelesen habe, «um hinter das Geheimnis dieses souveränen Stils zu kommen,»[19] und ähnlich spricht er später von der stärkenden Lektüre, die während der Arbeit am Joseph-Roman der «Faust» gebildet habe, vor allem der zweite Teil, die klassische Walpurgisnacht und die Helena-Tragödie.[20]

Viel wesentlicher aber wird Goethe als Führer zur *ethischen* Bewältigung des Lebens. Dabei zeigt sich freilich, daß für den jungen Goethe die Aufgabe zunächst ganz anders gestellt war als für den jungen Thomas Mann. Für Goethe handelte es sich um Begrenzung, Mäßigung, Eindämmung seiner Natur, um «Entsagung», für Thomas Mann um Erweiterung, Ausdehnung, Steigerung seiner Natur; Werther leidet an einem Zuviel, Tonio Kröger an einem Zuwenig; Goethe kämpft seinen großen Kampf um Bemeisterung des Lebens, Thomas Mann um Zugang zum Leben.

III

NIHILISMUS

Thomas Manns erste Novellen zeigen es sehr deutlich, daß dieser Zugang zum Leben nicht leicht zu finden war. Sie handeln zumeist von Zukurzgekommenen; vom Leben Schlechtbehandelte oder Ausgeschlossene sind ihre fragwürdigen Helden. Diese Erzählungen zeichnen sich aus durch einen Ton grausamer Kühle; sie sind Ausdruck einer Stimmung, die zwischen Lebensangst und Lebensfeindlichkeit liegt und nicht so sehr verschieden von der Art des frühen Schnitzler ist. Das heißt, sie sind zum großen Teile zeitbedingt.

Der junge Thomas Mann, begierig seine Feder zu üben, greift auf, was ihm die Zeit an Inhalten und Formen vorhält, und in dieser Unselbständigkeit ist er ganz der Typus des jungen Dichters wie ihn Goethe in seinen Leipziger Anfängen auch dargestellt hatte. Nur mit dem Unterschied: für den jungen Goethe heißen die von der Mode gelieferten Inhalte: Rokoko-Erotik, frivoler Lebensgenuß, eine allzufrühe, blasierte und unechte *Bemeisterung* des Lebens; dem jungen Thomas Mann bot die Zeit als Thema: Problematik, Unsicherheit, Verfall, Dekadenz, allzufrühes *Versagen* vor dem Leben. Es ist die Zeit der Schülerromane, die Zeit von Hermann Hesses «Unterm Rad» etwa, von Friedrich Huchs «Mao», von Emil Strauß' «Freund Hein»; alles Romane, in denen junge Menschen vor der Schule versagen, oder die Schule vor den jungen Menschen, man weiß nicht recht worauf der stärkere Akzent zu legen ist. «Es versagt dort etwas —», sagt Thomas Mann, indem er von Hanno Buddenbrook und seinen Schulleiden spricht, «aber was versagt, ist ja nicht sowohl die neudeutsche Mittelschule, die freilich übel wegkommt, als noch vielmehr der kleine Verfallsprinz und Musikexzedent Hanno Buddenbrook, und er versagt am Leben überhaupt, dessen Symbol und vorläufiger Abriß die Schule ist.»[1]

Gewiß ist die Gestalt des kleinen Hanno der Keim zu den

«Buddenbrooks», aber die Ueberlegenheit der «Buddenbrooks»
über die anderen Schulromane liegt doch nicht zuletzt darin,
daß der Einzelfall hier in einen größeren Zusammenhang hin-
eingestellt wird. Das mag zum Teil als Folge aus der naturali-
stischen Theorie des Romans zu erklären sein; Milieu und
Vererbung erfordern ihren Anteil bei der Beschreibung eines
Bildungsprozesses, der somit, durchaus konsequent, drei Generationen vor der Geburt des Helden seinen Anfang nimmt. Zum
anderen aber zeigt doch das Expansive, die Breite der Lebens-
vorgänge, die Fülle des Details einen vitalen Instinkt am Werke,
der bereits weiter und weiser ist als der Geist. Eine «Lebensfreundlichkeit» kündigt sich an, die später von Bedeutung werden soll und die Beziehung zu Goethe herstellen wird. Thomas
Mann spricht einmal von dem großen Eindruck, den es ihm
gemacht habe, als er als junger Mensch, « der eben von Schopenhauer die Erlaubnis zum Pessimismus erhalten hatte,» in Goethes
Epilog zur Glocke auf das Wort «lebenswürdig» gestoßen sei.
«Das Leben als höchstes Kriterium genommen und seiner würdig zu sein...» sagt er, «das verwirrte meinen jugendlichen
Begriff von Vornehmheit, der recht eigentlich auf eine sublime
Untauglichkeit und Unberufenheit zum irdischen Leben hinaus-
lief.»[2] Als «Erkenntnisekel» bezeichnet er an einer anderen
Stelle[3] die «Krankheit seiner Jugend». Fragt man sich nach
den Ursachen dieser Krankheit, so erscheinen Versuche, sie als
typisch jugendliche Melancholie oder als individuelle biolo-
gische Schwäche erklären zu wollen, als unzureichend. Die
Gründe müssen tiefer liegen; und in der Tat hat Thomas Mann
in der Ausgangssituation, in die er den Helden des «Zauberbergs», den jungen Hans Castorp, hineinstellt, diese Gründe in
unübertrefflicher Schärfe selbst formuliert.

«Der Mensch lebt nicht nur sein persönliches Leben als
Einzelwesen,» heißt es da, «sondern, bewußt oder unbewußt,
auch das seiner Epoche und Zeitgenossenschaft, und sollte er
die allgemeinen und unpersönlichen Grundlagen seiner Existenz auch als unbedingt gegeben und selbstverständlich be-

trachten und vor dem Einfall, Kritik daran zu üben, so weit entfernt sein, wie der gute Hans Castorp es wirklich war, so ist doch sehr wohl möglich, daß er sein sittliches Wohlbefinden durch ihre Mängel vage beeinträchtigt fühlt. Dem einzelnen Menschen mögen mancherlei persönliche Ziele, Zwecke, Hoffnungen, Aussichten vor Augen schweben, aus denen er den Impuls zu hoher Anstrengung und Tätigkeit schöpft; wenn das Unpersönliche um ihn her, die Zeit selbst der Hoffnungen und Aussichten bei aller äußeren Regsamkeit im Grunde entbehrt, wenn sie sich ihm als hoffnungslos, aussichtslos und ratlos heimlich zu erkennen gibt und der bewußt oder unbewußt gestellten, aber doch irgendwie gestellten Frage nach einem letzten, mehr als persönlichen, unbedingten Sinn aller Anstrengung und Tätigkeit ein hohles Schweigen entgegensetzt, so wird gerade in Fällen redlicheren Menschentums eine gewisse lähmende Wirkung solchen Sachverhalts fast unausbleiblich sein, die sich auf dem Wege über das Seelisch-Sittliche geradezu auf das physische und organische Teil des Individuums erstrecken mag.» [4]

Dieses Gefühl Hans Castorps, daß die Zeit sich als «hoffnungslos, aussichtslos und ratlos» zu erkennen gibt, ist das große Problem, dem nicht nur Hans Castorp, sondern Thomas Mann selbst gegenübersteht. Eine Epoche geht zu Ende: diese Erkenntnis läßt sich nicht abweisen und beschäftigt ihn immer wieder.[5] Er ruft Zeugen auf; er zitiert eine Aeußerung Dostojewskis aus dem Jahre 1880. «Dieses Europa,» sagt Dostojewski, «ist doch schon am Vorabend seines Falles angelangt, eines Falles, der ausnahmslos allgemein und furchtbar sein wird. Dieser Ameisenbau mit seinem bis auf den Grund erschütterten sittlichen Prinzip, der alles Gemeinsame und alles Absolute eingebüßt hat, er ist, behaupte ich, bereits so gut wie untergraben.» [6]

Einen «Propheten», einen «Künder des Gerichts» nennt Thomas Mann in diesem Zusammenhang Dostojewski, und er setzt hinzu, daß Dostojewski über die Erscheinung dieses Gerichts sich im Einzelnen zwar getäuscht, im Wesentlichen aber als ein wahrer Seher bewährt habe.

Mit noch größerem Recht hätte Thomas Mann sich auf seinen Lehrer Nietzsche berufen können. Nietzsche ist der erste, der die drohende Gefahr eines allgemein europäischen geistigen Zusammenbruchs deutlich gesehen und im Zusammenhang beschrieben hat. «Ich beschreibe,» sagt Nietzsche in der Vorrede zum ,Willen zur Macht', «ich beschreibe, was kommt, was nicht mehr anders kommen kann: *die Heraufkunft des Nihilismus.* Diese Geschichte kann jetzt schon erzählt werden: denn die Notwendigkeit selbst ist hier am Werke ... Unsere ganze europäische Kultur bewegt sich seit langem schon mit einer Tortur der Spannung, die von Jahrzehnt zu Jahrzehnt wächst, wie auf eine Katastrophe los: unruhig, gewaltsam, überstürzt: einem Strom ähnlich, der *ans Ende* will, der sich nicht mehr besinnt, der Furcht davor hat, sich zu besinnen.» [7]

Diese sich endigende Epoche nennt Thomas Mann — und nicht nur er — die bürgerliche Epoche; ihren Anfang datiert er teils von der französischen Revolution, teils noch weiter zurück, von der Reformation her. Im Mittelpunkt dieser Zeit steht für ihn der aus der Geborgenheit und Gebundenheit des christlich autoritären Mittelalters sich befreiende Mensch, der zweifelnde, fragende, kritische und unabhängige Einzelne. [9]

Dieser Prozeß der Befreiung ist, historisch gesehen, ein allmählicher; er verwirklicht Schritt für Schritt das Grundrecht des Menschen auf Selbstbestimmung; er bringt dem Einzelnen religiöse, sittliche, politische Autonomie; aber eine sonderbare Paradoxie will es, daß am Ende dieser Epoche, die mit so großem Aufschwung begonnen hatte, der nun völlig befreite Mensch ratlos vor dem Nichts steht.

Die geistige Situation, in die Thomas Mann sich gestellt sieht, ist keineswegs nur sein eigenes, persönlich bedingtes individuelles Erlebnis; zu viele Zeitgenossen künden von gleicher Problematik. Mit einem anderen Temperament, mit einer anderen Einsicht, in einer anderen seelischen Färbung, leidend oder höhnisch, klagend oder kühl gefaßt haben Rilke und Hofmannsthal, Wedekind, Trakl und Hesse, Schnitzler und viele andere ähnlichem Grundgefühl Ausdruck gegeben. Und Thomas Mann weiß, daß er mit dieser Erkenntnis nicht allein steht. «Das intellektuelle Interesse,» sagt er, «welches letzten Endes die heute zur Lebenshöhe vorgeschrittene Dichtung beherrscht und beschäftigt, ist das Interesse am Pathologischen und Verfall.»[9]

Diese unheimliche Erscheinung des Nihilismus ist überdies nicht auf Deutschland beschränkt; von Flauberts «Education Sentimentale» bis Prousts «A la Recherche du Temps Perdu» und Valérys «Crise de l'Esprit» sieht sich der französische Geist von gleicher Gefahr bedroht. In Jacobsens «Niels Lyhne», in Strindbergs «Nach Damaskus», in Huxleys «Point Counter Point», in Hemingways «The Sun Also Rises» —, überall steht der Mensch bald elegisch oder verzweifelt, bald blasiert und verspielt der Sinnlosigkeit seines Daseins gegenüber. So weit von einander entfernte Philosophen wie der Spanier Ortega y Gasset und der Russe Berdjajew sehen das europäische Ende einer Epoche des Individuums gekommen, sehen den Einzelnen in der Masse untergehen. In Deutschland ist die Ablösung einer bürgerlich-individualistischen Lebensform durch eine kollektivistisch-soldatische, noch ehe sie in der Wirklichkeit in Erscheinung trat, vielleicht am eindruckvollsten in Ernst Jüngers «Arbeiter» dargestellt worden, einem Buch, das in seiner eisigen Präzision ganz auf Nietzsches Nihilismusbegriff fußt. Aber schon Nietzsches Lehrer Jakob Burckhardt hatte in seinen Briefen immer wieder die gequälte Frage nach der Zukunft unserer Kultur gestellt, von wachsender Sorge erfüllt, geistig existierend wie ein Belagerter auf unterminiertem Boden, in der Voraussicht am Beginn einer «Aera von Kriegen» und eines «immer schroffer werdenden Despotismus» (1849) zu stehen, um am Ende den Schluß zu ziehen: «Ein bestimmtes und überwachtes Maß von Misere mit Avancement und Uniform, täglich unter Trommelwirbel begonnen und beschlossen, das ist's, was logisch kommen müßte.»[10]

«Was bedeutet Nihilismus?» fragt Nietzsche. Und er gibt sich selbst die Antwort: «Daß die obersten Werte sich entwerten.»[11] Die Ursache dieses Wertschwundes erblickt er im «Glauben an die Vernunftkategorien». Jede rein moralische Wertsetzung, behauptet Nietzsche, ende mit Nihilismus. Der Mensch glaube mit einem Moralismus ohne religiösen Hintergrund auszukommen, aber damit sei der Weg zum Nihilismus notwendig.[12] Obwohl auf ganz anderem Boden stehend, berührt Nietzsche sich hier mit christlichen Denkern wie Berdjajew, die die ganze Neuzeit unter dem Zeichen einer schrittweisen Auflösung und Zerstörung der mittelalterlichen Welt sehen, und die Entwicklung der modernen Geistesgeschichte als eine immanente Dialektik der Selbst-Entfaltung und Selbst-Verneinung eben der Prinzipien, die sie begründet haben.[13]

Diese Selbst-Verneinung des modernen Geistes setzt schon relativ früh ein. Wenige Jahre nach Goethes Tod nimmt Georg Büchner das Ende der ganzen Epoche bereits im Gefühl vorweg. Dantons nihilistisches Schlußbekenntnis: «Die Welt ist das Chaos. Das Nichts ist der zu gebärende Weltgott,»[14] tönt bei Nietzsche wieder: «Der Gesamtcharakter der Welt ist in alle Ewigkeit Chaos,»[15] und klingt resigniert bei Schnitzler nach: «Das Natürliche ist das Chaos.»[16] Und nicht anders versinken dem untergehenden Aschenbach Kunst und Tugend vor den «Vorteilen des Chaos».[17] Chaos — dem nihilistischen Geist, der die Fähigkeit verloren hat, einen letzten verpflichtenden, den Einzelnen bindenden Wert anzuerkennen, und der damit über kein Ordnungsprinzip mehr verfügt, muß die Welt zum Chaos werden.

Schon zu Goethes Lebzeiten war der erste entschlossene Vorstoß zur Verneinung des Zeitalters erfolgt: Schopenhauers «Welt als Wille und Vorstellung» (1819). Selbst die Romantik enthält bereits Elemente des Nihilismus; Kierkegaard jedenfalls, der vor Nietzsche sich wohl am leidenschaftlichsten mit dem Phänomen des Nihilismus auseinandergesetzt hat, erblickt in der Romantik Elemente eines «ästhetischen» oder «poetischen» Nihilismus, einer gleichsam «latenten» Verzweiflung, die als eine Vorform von Kierkegaards eigenem existenziellen Nihilismus zu betrachten ist.[18]

Die Romantik kennt auch die Ursachen solcher Verzweiflung. «Trennung und Vereinzelung ist die Erbsünde der modernen Bildung,» sagt Friedrich Schlegel.[19] Es ist jene Trennung und Vereinzelung gemeint, die den Menschen aus dem «Allgemeinen» und «Absoluten» gelöst, souverän und autonom gemacht und ihn schließlich in wachsende Isolierung geführt hatte.

«Freiheit» war ein Lieblingswort des sich emanzipierenden Menschen gewesen, solange es darum gegangen war, geistige Fesseln zu zerbrechen — und große schöpferische Kräfte waren dadurch frei gemacht worden —, aber je größer das Maß erreichter Freiheit wurde, desto größer wurde die Schwierigkeit, den entfesselten Kräften ein Ziel zuzuweisen. Der Ruf nach Freiheit, die Freiheit der Wahl, der Entscheidung, der Selbstbestimmung, die Freiheit zu wagen und zu irren, erwies sich nur zu oft als Quelle der Unsicherheit, der Unschlüssigkeit, der Lähmung. Und so führt Schnitzlers «Weg ins Freie» beispielsweise zuletzt nicht ins Freie sondern ins Leere. Doch schon Hölderlin hatte die Klage des vereinsamten Menschen angestimmt. «Frohlockend drangen unsere Geister aufwärts,» heißt es im «Hyperion», «und durchbrachen die Schranken, doch wie sie sich umsahen, wehe, da war eine unendliche Leere.»

Freiheit läßt sich nicht auf Freiheit gründen, Freiheit nicht zum Ziel der Freiheit machen. Die Frage nach dem wozu? ist unabweislich.

Und so kommt es, daß, wie Thomas Mann feststellt, «das innerste Verlangen der Welt, der ganzen Welt, durchaus nicht auf weitere Anarchisierung durch den Freiheitsbegriff, sondern auf neue Bindungen gerichtet ist.[20] Thomas Mann ist sich über die «Negativität des Freiheitsbegriffes» durchaus im klaren; er nennt ihn kurzerhand einen «nihilistischen Begriff». Und er macht es ein andermal schlagend klar, worum es ihm in Wirklichkeit bei der Idee der Freiheit geht. «Freiheit ist nichts,» sagt er da. «Befreiung ist alles.»[21]

Das ist Lessingisch gedacht. Einem solchen Ausspruch liegt dieselbe Haltung zugrunde, die Lessing in seiner berühmten Antwort den *Besitz* der Wahrheit ausschlagen und sich für das ewige *Streben* nach Wahrheit entscheiden läßt.

Und es ist überdies durchaus im Sinne Goethes. Denn der Grund für solche Ueberzeugung ist ein pädagogischer. Auf die Entfaltung, die Entwicklung, die *Bildung* menschlicher Kräfte kommt alles an, und die kann niemals verwirklicht werden durch ein bloßes Wissen, einen bloßen Seinszustand, sondern nur durch dauerndes Streben, durch Ueberwinden von Irrtümern und Abhängigkeiten, durch aktive Leistung, durch sinnvolles Tun. Goethe wird so zum großartigen Vorbild für menschliches Verhalten, das weder in der Sicherheit ewiger Heilsgewißheit kampflos ruht, noch sich widerstandslos der chaotischen Sinnlosigkeit einer unbewältigten Existenz überläßt, sondern das sich freikämpft aus Zweifel und Unsicherheit zur Bemeisterung des Lebens.

Um so erstaunlicher ist es deshalb zu sehen, wie Thomas Mann auf seinem Weg zu Goethe gelegentlich versucht, den modernen Nihilismusbegriff selbst auf Goethe anzuwenden.[22] Es seien, sagt Thomas Mann in diesem Zusammenhang, in Goethe Züge eines tiefen Grames und Mißmutes zu erblicken. Er notiert eine eigentümliche Kälte und Bosheit, etwas Beklemmendes und Unheimliches, er führt des Kanzlers von Müller Wort über Goethes «Neigung zum Negieren und seine ungläubige Neutralität» an, und zitiert schließlich die folgende Aeußerung Charlotte von Schillers: «So sprach er (Goethe) in lauter Sätzen, die einen Widerspruch auch in sich hatten, daß man alles deuten konnte, wie man es wollte, aber der Meister, fühlt man mit einer Art Schmerz, denkt von der Welt: Ich hab mein Sach auf Nichts gestellt!» «Auf nichts gestellt!» ruft Thomas Mann aus, und fährt fort: «Das wäre ja Nihilismus, und im Ernst gefragt, woran glaubte er?» Nicht an die Menschheit, sagt Thomas Mann, nicht an die Kunst, und für beides führt er Belege an, um schließlich mit diesen Zügen eine weitere Erscheinung in Zusammenhang zu bringen, nämlich «Goethes lebenslängliche und unbezwingliche Verlegenheit und Befangenheit im Verkehr mit Menschen, die sich hinter zeremonieller Steifheit verbarg, ohne ihre eigentliche Natur verleugnen zu können». Ottilie von Goethes Erklärung, daß Goethe aus wirklicher Verlegenheit sich so verhalte und hinter einer hochmütig scheinenden Haltung die Verlegenheit zu verbergen suche, läßt Thomas Mann nicht gelten. Die Befangenheit muß tiefere Gründe haben, fährt er fort, und zur Begründung zieht er wiederum seinen Begriff des Nihilismus heran: «Sie ist ein Merkmal jenes ironischen Nihilismus, von dem wir sprachen,» sagt er, «jener allertiefsten naturelbischen Dichtergesinnungslosigkeit und jenes Mangels an Glauben, an ideellem Enthusiasmus, wie er den kranken Schiller beseelte, der dieses Verlegenheit genannte menschliche Schwanken gewiß nicht gekannt hat.» [23] Die Tatsache dieser Goetheschen «Verlegenheit» ist vielfach bezeugt; ihre Interpretation ist schwierig. Thomas Mann selbst bemerkt einleitend, daß es sich um eine Betrachtung handle, die so weit ins psychologisch Intime und Geheime führe, daß nur Andeutungen möglich seien.[24] Und so gehen die Meinungen auseinander. Ortega y Gasset beispielsweise zieht aus den gleichen Fakten gerade den umgekehrten Schluß wie Thomas Mann. In seiner geistreichen und aggressiven Kritik der Goetheschen Lebensform macht er Goethe geradezu den Vorwurf, daß er sein Sach nicht genug auf Nichts gestellt habe. «Hartnäckige Uebellaunigkeit,» sagt er,[25] «ist ein Symptom dafür, daß ein Mensch gegen seine Bestimmung lebt;» er tadelt an Goethe, daß er vor seinem Dichterdasein geflohen sei, «um jener traurigen Angelegenheit, um Weimar, in die Arme zu fallen,» [26] und wünscht sich statt dessen einen Goethe, der «allen Unbilden preisgegeben, ohne die Basis materieller-wirtschaftlicher Sicherheit..., der in Unsicherheit gelebt hätte.» Aber dies heißt, das in der Idee Unmögliche verlangen, es heißt von Goethe fordern, er hätte Kleist sein sollen.

Und klingt es nicht wie eine Erwiderung auf Ortega y Gassets Forderung eines nonkonformistischen Goethe, wenn Thomas Mann bemerkt, «Wer zweifelt, daß in Goethe Möglichkeiten einer Größe lagen —, wilder, üppiger, gefährlicher, ‚natürlicher‘ als die, welche sein Selbstbändigungsinstinkt zu entfalten ihm gestattete»?[27]

Aber gerade darin, im «deutsch-erzieherischen Verzicht auf die Avantagen des Barbarismus,» liegt eben für Thomas Mann Goethes Größe. Diese Selbstbändigung mag als «Gegen-Natur» erscheinen; sie ist in Wahrheit «sittliche Kultur». Niemand weiß besser als Thomas Mann, über welchem Abgrund die scheinbare «Harmonie» des reifen Goethe sich erhebt; und moderne Goethe-Forschung hat, gleich ihm, betont, wie nahe Goethe stets das «Chaos» war, wie viel Problematik unter dieser Gelassenheit, wie viel Qual unter dieser Heiterkeit sich verbarg, in welcher «Unsicherheit» der «Gesicherte» gelebt hat. Daß dies so ist, hat es allein ja möglich gemacht, daß Thomas Mann in Goethe Symbol und Führer sehen konnte. Ein harmonischer Götterliebling hätte nichts für ihn bedeutet. Daß Thomas Mann aus Goethes dunklen Stunden den Unterton des «Nihilismus» heraushört, mag zu erklären sein als Benennung eines Drohenden aus der Sphäre seiner eigenen Gefahr; gewiß ist, daß der autobiographische Künstler Thomas Mann in Goethes Leben und Natur erhöhte Spiegelung und Lösung eigenen Zwiespaltes sah, aber gewiß ist auch, daß, wo Schopenhauer, Nietzsche und Wagner ihm Herkunft und Neigung verdeutlichten, Sinnbilder des Abgrundes, Lockungen des Verhängnisses, Goethe für Thomas Mann einen *Weg* bedeutete, den Weg zur wahrhaften *Ueberwindung* des Nihilismus. Bevor dieser freilich gefunden wurde, bot zunächst eine Scheinlösung sich an. Sie hieß Ironie.

IV
IRONIE

Weniges hat Thomas Mann so nachhaltig beschäftigt wie das Problem der Ironie, «das ohne Vergleich reizendste der Welt», wie er es einmal nennt.[1] Eines der schwierigsten überdies, wenn man sich die Fülle der Widersprüche vorhält, mit deren Hilfe sich das schillernde Phänomen der Ironie von jeher einer Definition entzogen hat. Für Settembrini zwar, den Mann der klaren Begriffe, ist sie «ein gerades und klassisches Mittel der Redekunst, dem gesunden Sinn keinen Augenblick mißverständlich,» aber Hans Castorp kann ihm darauf mit Recht sofort die Frage entgegenhalten, was denn das für eine Ironie wäre, eine Ironie, die keinen Augenblick mißverständlich ist. Diese Mißverständnisse rühren zum Teil schon daher, daß das Wort Ironie so verschiedenartig verwendet wird, bald als Redefigur, bald als ästhetischer Begriff, bald als philosophische Idee, bald als Ausdruck für ein existenzielles Verhalten überhaupt.

Fragt man sich nun nach dem besonderen Wesen von Thomas Manns Ironie, so scheint ein Wort, das in einem Aufsatz über Chamisso steht, mehr als andere geeignet, den Zugang zu ihr zu erschließen. Es lautet: «Ironie heißt fast immer, aus einer Not eine Ueberlegenheit machen.»[2] Ironie ist also das Ergebnis einer Not, und das Wesen dieser Not offenbart sich in dem, worunter bei Thomas Mann am meisten gelitten wird. Denn fast alle seine Menschen leiden: sie leiden am Erlebnis ihrer hoffnungslosen Isolierung, an ihrer Trennung, ihrem Ausgeschlossensein vom Leben.

Der Augenblick, wo Tonio Kröger in dem kleinen weißen Hotel in Dänemark von der Glasveranda aus den tanzenden Badegästen zusieht und die Ebenbilder des sehnsüchtig umworbenen Jugendfreundes und der Jugendgeliebten unter ihnen erblickt, und wo er, unfähig, den Schritt über die Schwelle zu tun, sich ihnen zu nähern, in dieser harmlosen Geselligkeit unterzutauchen, sich in sein Zimmer zurückzieht und so sich selbst sieht: zerfressen von Ironie und Geist, verödet und gelähmt von Erkenntnis, während von unten gedämpft und wiegend «des Lebens süßer trivialer Dreitakt» zu ihm herauftönt, diese Situation ist gleichsam die Ursituation des Menschen bei Thomas Mann.

Sie ist bereits vorgebildet in der Studie «Die Hungernden»; in jener Szene, in der der junge Mann sich leise wegstiehlt aus dem Festtrubel des Theatersaales und die Geliebte dem harmlosen Schwätzer überläßt, wissend, daß er dem Fluch nicht entfliehen kann, der da unverbrüchlich lautet: «Du darfst nicht sein, du sollst schauen; du darfst nicht leben, du sollst schaffen, du darfst nicht lieben, du sollst wissen!»

Und die gleiche Situation, ins Tragische gewendet, kehrt wieder, wenn Aschenbach im «Tod in Venedig» von seinem Liegestuhl am Lido dem blonden Polenknaben zusieht, Aschenbach, der Meister des Wortes, unfähig, jemals ein Wort zu finden, das den ungeheuren, hoffnungslosen Abgrund zwischen dem Geistigen und dem Schönen zu überbrücken imstande wäre.

Der vielbemerkte Gegensatz zwischen Künstlertum und Bürgertum, die Tonio Krögersche Sehnsucht nach den «Wonnen der Gewöhnlichkeit» ist nur ein Teilkonflikt des großen Gegensatzes zwischen Geist und Leben im Werke Thomas Manns. «Der Lebensgenuß ist uns verwehrt, streng verwehrt,» erklärt der Dichter Martini für alle Künstler Thomas Manns, «und zwar ist dabei,» präzisiert er genauer, «unter Lebensgenuß nicht nur das Glück, sondern auch die Sorge, auch die Leidenschaft, kurz jede ernsthaftere Verbindung mit dem Leben zu verstehen.»[3] Aber derjenige, dem Martini das erklärt, Klaus Heinrich, der Fürst, ist auf seine Weise ebenso von jeder «ernsthafteren Verbindung mit dem Leben» ausgeschlossen wie Martini; er lebt das Leben nicht, sondern stellt es dar.[4] In allen möglichen Verkleidungen kehrt dies Urerlebnis wieder; der Fürst nicht nur, auch der Hochstapler Felix Krull hat zum Leben keine reale Beziehung, auch in seinen Bekenntnissen geht es um die «Psychologie der unwirklich-illusionären Existenzformen».[5]

Der Prozeß der wachsenden Entfremdung vom tätigen Leben ist das Thema der «Buddenbrooks», und nicht ohne tiefere Vorliebe verweilt Thomas Mann bei der Gestalt des Konsuls Thomas Buddenbrook, in dem dieser Prozeß sich zum ersten Mal selbst bewußt wird; nicht ohne sympathisierende Ausführlichkeit beschreibt er die mühsame und peinvolle Existenz dessen, der nur noch die Form, nicht mehr den Sinn seines Lebens erfüllt.

Körperliche Mißgestalt wie beim kleinen Herrn Friedemann, oder ein großes Talent wie im Fall des einsam mit seiner Aufgabe ringenden Schiller mag die Ursache sein —, auf irgendeine Weise sind alle diese Menschen vom gewöhnlichen «glücklichen» menschlichen Leben ausgeschlossen.

Krankheit trennt die Menschen des «Zauberberg» vom Leben, wobei unter Krankheit durchaus nicht nur ein physisches Phänomen zu verstehen ist, und hier, im «Zauberberg» hat Thomas Mann nun in der Tat ein großartiges Symbol für die Situation des ganzen Vorkriegseuropas gefunden. Die Glaswand, die Tonio Kröger zwischen sich und den anderen weiß, umgibt hier unsichtbar den ganzen Raum dieses Romans; hier ist, im Milieu des Lungensanatoriums, ein geistiger und seelischer Isolierraum geschaffen, wo eine von den Wurzeln des Lebens abgeschnittene Gesellschaft, aus Sinn, Zeit und Verantwortlichkeit herausgelöst, zugrunde geht. Hier wird nicht gehandelt, sondern geredet, nicht getan, sondern gespielt, nicht geliebt, sondern ausgeschweift, nicht gelebt, sondern verwest. Es ist die große Verführung des Nihilismus, die Gefahr des modernen Menschen, der der Held des Romans ausgesetzt wird, und funktionell hat in diesem Erziehungsroman das Sicheinlassen Hans Castorps auf die Krankheit, seine tiefe «Sympathie mit dem Tode» im Grunde dieselbe Bedeutung, die für Faust sein Pakt mit dem Teufel hat — eine Parallele, die aufs überzeugendste Hermann Weigand in seinem grundlegenden Buch über den «Zauberberg» gezogen hat, lange bevor Thomas Mann den Roman schrieb, in dem im wörtlichsten Sinne der Held einen Teufelspakt mit der Krankheit schließt.[6]

In diesem Zusammenhang, wo von der «Not» des Menschen bei Thomas Mann die Rede ist, muß nun auch von der seltsamen und sinnvollen Gleichartigkeit seiner Liebesgeschichten gesprochen werden. Nichts zeigt ja deutlicher das besondere Wesen eines Dichters, als die «Wiederholung» seiner Motive und Situationen. Nun, wo immer Thomas Mann von Liebe spricht, handelt es sich um unglückliche Liebe, um unerfülltes, unerfüllbares Begehren.[7]

Da sind die Liebhaber, die an das Mädchen, das sie lieben, nie ein Wort zu richten wagen, wie Tonio Kröger, oder Joachim im «Zauberberg», der es erst tut, als er weiß, daß er verloren ist, oder jener Herr aus Mannheim, der hoffnungslos Frau Chauchat umschleicht; da ist Detlev in den «Hungernden», der schweigend das Feld dem Nebenbuhler überläßt; Aschenbach, der in stummer Leidenschaft zugrunde geht; Spinell, der nur in Andeutungen und Symbolen zu reden wagt und sich hinter der Tristanmusik halb offenbart und halb versteckt; da ist der kleine Herr Friedemann, der zwar spricht, aber nur, um höhnische Zurückweisung zu erfahren und der seine Demütigung nicht überleben kann; da ist der «Bajazzo», der, als sich die Gelegenheit bietet, nur ein ungeschickt rauhes Wort herausbringt; da ist die groteske Ehe des Rechtsanwalts Jacoby in «Luischen» und die fragwürdige, unterhöhlte Ehe Thomas Buddenbrooks, voll innerer, nie überbrückter Fremdheit; da ist die aussichtslose Jugendliebe Toni Buddenbrooks und ihre zwei unglücklichen Ehen; da ist die «ziellose» Liebe zwischen Goethe und Lotte und die vergebliche Werbung Adrian Leverkühns um Marie Godeau; und da ist — um die zwei Gipfel unter den Liebesgeschichten Thomas Manns zu nennen — die Liebe Hans Castorps zu Clawdia Chauchat, eine Liebe, in der so viel mehr stumme Werbung, so viel mehr Sehnsucht und Verzicht als Erfüllung ist; und schließlich die rasende, verzehrende, sinnlose und wütende Leidenschaft Mut-em-inets in «Joseph in Aegypten», eine Geschichte, in der Eros nicht als Gott, sondern als Dämon erscheint, tiefe und großartige thematische Abwandlung der hoffnungslosen, zerstörenden Leidenschaft des einsamen Aschenbach. In all diesen menschlichen Beziehungen gibt es weder Vertrauen noch Gewißheit, keinen Glauben und keine Hingabe, sondern Zweifel, Qual, Sehnsucht und unabwendbares Alleinsein.

Trotz alledem liegen jedoch im Weltbild Thomas Manns die Werte keineswegs so klar und eindeutig verteilt, daß auf der einen Seite das positiv gewertete Leben wäre und auf der anderen Seite jene, die keinen Anteil an ihm haben, die Zukurzgekommenen, Ausgeschlossenen, Minderwertigen, sondern ein Minus an Vitalität mag ein Plus an Erkenntnis, Sensibilität, Gefühl bedeuten, menschliche Verfeinerung nur um den Preis der Schwächung elementarer Lebenskraft zu haben sein. Thomas Buddenbrook etwa erscheint seinen robusten, geraden Vorfahren gegenüber nicht nur entartet, sondern zugleich auch bereichert; bereichert durch Bewußtheit, Unterscheidungsvermögen und Leidensfähigkeit. Was Nietzsche einmal sagt: daß es beinahe die Rangordnung des Menschen bestimme, wie tief einer leiden könne, das gilt weithin auch für Thomas Mann. Und im selben Sinne ist auch Krankheit nicht nur der Unwert, als der sie Settembrini erscheint, nicht nur eine «Form der Liederlichkeit», sondern auch ein «mächtiges Erkenntnismittel»,[8] ein Weg humaner Veredelung, so daß, in solchem Lichte gesehen, der «wunderliche Hörselberg»[9] des großen Krankheitsromans zugleich ein wahrer Berg der Läuterung ist.

Wenn Thomas Mann in «Goethe und Tolstoi» von Schillers und Dostojewskis Krankheit spricht, so leitet er ihren besonderen Adel, ihre Vornehmheit gerade von ihrem Kranksein ab; Krankheit scheint ihm, in ihrem Falle, Vertiefung, Erhöhung und Verstärkung ihrer Menschlichkeit zu bedeuten, ja geradezu zum Adelsattribut höheren Menschentums zu werden.[10] Er bringt das Wesen des Geistes und das Wesen der Krankheit in tiefe innere Beziehung, er weist darauf hin, daß Goethe den Schillerschen Begriff des «Sentimentalischen» mit dem des «Kranken» identifiziert habe — «nachdem er nämlich zuvor den Gegensatz von Naiv und Sentimental mit dem von ‚Klassisch' und ‚Romantisch' identifiziert hatte».[11]

Thomas Mann hat überdies diesen von ihm so bewunderten Aufsatz Schillers auf für ihn höchst bezeichnende Weise kritisiert und ergänzt; nach ihm streben nicht nur die Geistessöhne zur Natur, sondern genau so die Naturkinder zum Geist.[12] Schillers unsterbliche Abhandlung, erklärt Thomas Mann in seinem Aufsatz über Goethes «Wahlverwandtschaften», irre selbst theoretisch in dem einen Punkt, daß er nur das Geistige als strebend — nämlich nach Natur, nach Verleiblichung —, die Natur aber, das Naive, als in sich ruhend schildere. «Streben ist nicht nur beim Geist,» fährt er fort, «es ist auch dort, wohin er strebt.»[13] «Vergeistigung!» sagt er, «lautet der sentimentalische Imperativ der Lieblinge der Natur, wie derjenige der Geistessöhne Verleiblichung! lautet.»[14]

Ein Vergleich der «Vertauschten Köpfe» und des «Tod in Venedig» zeigt, wie diese Revision grundlegender Begriffe sich in Thomas Manns Werk abspiegelt. Im «Tod in Venedig» drückt sich noch die ursprüngliche «Schillersche» Sicht des Problems aus: das einseitige Streben des «Geistes» zum «Schönen», das geschlossen in sich selbst ruht; in der späten Erzählung «Die Vertauschten Köpfe» jedoch wird von beiden Polen her — freilich vergebens — nach Vereinigung gesucht. «Diese Welt,» heißt es hier, «ist nicht so beschaffen, daß darin der Geist nur Geistiges, die Schönheit aber nur Schönes zu lieben bestimmt wäre. Sondern der Gegensatz zwischen den beiden läßt mit einer Deutlichkeit, die sowohl geistig wie schön ist, das Weltziel der Vereinigung von Geist und Schönheit, das heißt der Vollkommenheit und nicht länger zwiegespaltenen Seligkeit erkennen.»[15] Daß Thomas Mann freilich diese Geschichte erzählen kann «als ein Beispiel für die Mißlichkeiten und Fehlschläge, unter denen nach diesem Endziel gestrebt wird,»[16] daß er die tragischen Abgründe wieder aufreißt, nachdem er sie schon kritisch und dichterisch überbrückt hatte, macht nur wiederum deutlich, wie sehr das Erlebnis dieses

Gegensatzes seiner ursprünglichen Natur entspricht, die Versöhnung hingegen bewußter geistiger Bemühung.[17] Das heißt: beide Pole einer als durchaus antithetisch erlebten Welt sind in sich unvollkommen; mitten durch die Welt geht ein unheilbarer Riß, und vergebens streben die getrennten Hälften nach Vereinigung. Und daß dieser Gegensatz, diese menschliche Unvollkommenheit nicht auf bestimmten Handlungen, nicht auf Verfehlungen oder individueller Schuld beruht, sondern mit dem Wesen der Welt selbst gesetzt ist, macht Thomas Manns Weltbild in der Anlage tragisch.[18]

Das Leiden an der antithetischen Zerrissenheit der Welt hat Thomas Mann mit vielen modernen Dichtern gemein, aber wo Goethe und Schiller eine Möglichkeit echter Ueberwindung gefunden hatten, wo Kleist und Büchner sich in riesenhaften Ausbrüchen ihrer Verzweiflung auslieferten, da schien sich für Thomas Mann ein dritter Weg zu bieten: die *Ironie*. Diesen Weg hatte zuerst die Romantik gewiesen (und als «Zubehör der Romantik» erkennt auch Thomas Mann die Ironie).[19] Ironie war der Versuch gewesen, sich aus der leidvollen Wirklichkeit durch einen entschlossenen geistigen Akt herauszulösen und einen Standpunkt überlegener Freiheit zu gewinnen. «In der Ironie retiriert das Subjekt ständig..., um sich selbst zu retten,» sagt Kierkegaard.[20]

Der Romantiker sucht das Problem des aus der Bindung entlassenen individualistischen Menschen auf paradoxe Art («aus der Not eine Ueberlegenheit machend»)[21] zu lösen, nicht indem er strebt, sich nun aus eigener Kraft nur desto inniger mit der Welt zu verflechten — dies war Goethes großartig-bescheidener Weg gewesen —, sondern indem er gerade das, worunter er leidet, seine subjektivistische Isolierung, ins Extrem treibt, und zum universalen Prinzip erhebt; indem er noch die letzten Zusammenhänge zerreißt, sich über alle Antithesen spielend erhebt und eine gleichsam unendliche Distanz zur Wirklichkeit gewinnt. «Abstand, das heißt Ironie,» sagt Thomas Mann.[22]

Die Ironie löst aus Zusammenhang und Folge; es ist tief bezeichnend, daß die ironischen Dichtwerke so oft die Neigung haben, alle Zeitrechnung aufzuheben, von Schlegels «Lucinde» und Büchners «Leonce und Lena» bis zur tiefsinnigen Auflösung des Zeitbegriffes im «Zauberberg». Und dagegen halte man nun die Episode aus dem Leben des alten Goethe, als eine Dame dem siebenjährigen Walther von Goethe die Jean Paulsche Klage über die Flüchtigkeit der Zeit ins Stammbuch schrieb: «Der Mensch hat hier dritthalb Minuten: eine zu lächeln, eine zu seufzen und eine halbe zu lieben; denn mitten in dieser Minute stirbt er,» und Goethe die Feder ergriff und als Antwort auf diese Wehleidigkeit jenen protestierenden Vers daruntersetzte, der so ganz das Gefühl tätiger Entschlossenheit ausdrückt, das ihn beseelte:

> Ihrer sechzig hat die Stunde,
> Ueber tausend hat der Tag.
> Söhnchen werde dir die Kunde,
> Was man alles leisten mag.[23]

Was den Insassen des «Zauberbergs» wie wesenlos zwischen den Fingern zerrinnt, die Zeit, so daß gestern ist wie vor vielen Wochen, und was sich vor Jahresfrist abspielte, «neulich» genannt wird, diese selbe Zeit erscheint dem Weisen des «Westöstlichen Divan» als herrliche Möglichkeit des Wirkens und Schaffens, so daß er jubelnd ausruft:

> Mein Erbteil wie herrlich, weit und breit!
> Die Zeit ist mein Besitz, mein Acker ist die Zeit.

Aber an die Möglichkeit und vor allem an den Sinn des Wirkens und Schaffens glaubt eben «jene elende Romantik» nicht, «der nichts heilig ist, die selbst mit dem Höchsten nur spielen kann,» wie Paul Ernst einmal ergrimmt ausruft.[24]

Das Wort in der «Lucinde»: «Das höchste und vollkommenste Leben ist nichts anderes als reines Vegetieren,» das «Lob des Müßiggangs», das beständige Paraphrasieren des Nichtstuns in «Leonce und Lena», die verträumte Idyllik des «Taugenichts», und die Darstellung des Müßiggangs, die vegetierende Fäulnis im «Zauberberg» — das alles liegt auf einer Linie.

Der Augenblick, in dem Hans Castorp den Brief nach Hause beendet hat, in dem er erklärt, daß er auf dem Berghof zu bleiben gedenke, wird vom Dichter ausdrücklich hervorgehoben. Hans Castorp hat mit diesem Brief, Thomas Mann unterstreicht das Wort, seine *Freiheit* befestigt. Und es wird überdies betont, daß der Sinn dieses Wortes für Hans Castorp sehr wenig mit demjenigen zu tun hat, den Settembrini diesem Wort beilegt, Settembrini, der Vorkämpfer aufklärerischer liberal-demokratischer Befreiung. Aber was ist es dann für eine Freiheit? Es ist die negative, ironische, nihilistische Freiheit des Zauberbergs, der Hans Castorp sich zunächst verschreibt, wenngleich er nicht dabei verbleiben wird. Es ist die «vollkommene innere und äußere Freiheit» von der Friedrich Schlegel spricht, und die «durch das Wegnehmen *aller* Schranken dargestellt wird.»[25]

Daß diese Freiheit und der Nihilismus zusammengehören, hat Thomas Mann betont, da, wo er vom nihilistischen Freiheitsbegriff spricht, und nicht weniger eng gehört diese Freiheit mit dem Ironiebegriff zusammen.[26] In der Ironie sei das Subjekt negativ frei, erklärt Kierkegaard,[27] indem er sich die Hegelsche Definition der Ironie als der «unendlichen absoluten Negativität» zu eigen macht.[28] Und wenn Kierkegaard weiter erklärt: «frei ist die Ironie allerdings, frei von den Sorgen der Wirklichkeit —, aber auch frei von ihren Freuden, frei von ihrem Segen,»[29] so berührt sich das auf schlagende Art mit der schon erwähnten Argumentation Martinis in «Königliche Hoheit», wenn er hervorhebt, daß dem Künstler der Lebensgenuß streng verwehrt sei, und unter Lebensgenuß «nicht nur das Glück, sondern auch die Sorge..., kurz, jede ernsthaftere Verbindung mit dem Leben» versteht.

Indessen, die Idee der Ironie selbst, die ihrer eigenen Logik nach jede ernsthaftere Verbindung mit dem Leben ausschließt, zwingt zu der Folgerung, daß reine Ironie als menschliche Haltung überhaupt unvollziehbar ist. Die Ironie ist nämlich nur eine gedachte Position; absolut heißt eben nicht realisierbar, die unendliche Erhebung über die Wirklichkeit ist in der Wirklichkeit nicht zu erreichen; die «absolute Synthese absoluter Antithesen» in der für Schlegel ein «bis zur Ironie vollendeter Begriff» besteht (Athenäumsfragment 121) ist in diesem Dasein mit seinen Bedingtheiten höchstens in der Vorstellung vollziehbar. Daß für die Romantiker selbst die Ironie mehr ein verzweifeltes Kunststück des Verstandes als eine wirkliche Lösung ihrer Lebensproblematik bedeutete, auch nicht von Dauer sein konnte, geht ja auch daraus hervor, daß so viele von ihnen aus der Freiheit zur Bindung zurückkehrten und katholisch wurden. Vollkommene Ironie ist nur einem Gotte möglich, und in der Tat usurpiert der Ironiker im Grunde den Platz Gottes. Dies macht auch Kierkegaard gegen Solger geltend, daß er die Gottesexistenz zur Ironie mache.[30]

Die Irreligiosität einer solchen Haltung liegt auf der Hand;[31] und es hat deshalb seinen tiefen Sinn, wenn, um den außermenschlichen Standort des Ironikers zu bezeichnen, der vom Menschen höchstens angestrebt, aber nicht erreicht werden kann, nicht Gott, sondern der Teufel als Symbol gewählt und somit Goethes Mephisto zum Prototyp des Ironikers erklärt wird. Dies ist die Auffassung Fritz Mauthners, der Goethes Mephisto als «personifizierte Ironie» bezeichnet, ja als den Höhepunkt der Ironie überhaupt, die dann ein Menschenalter später erst von den Romantikern als etwas Neues gefordert worden sei.[32] Thomas Mann nun hat in seinem «Princetoner Kolleg über Faust» eine geistreiche Interpretation der Mephisto-Figur gegeben, die sich mit dieser Auffassung Mauthners sehr nahe berührt. Der Faust-Dichter, bemerkt Thomas Mann, sei Jüngling genug, in der Ironie das Teuflische zu sehen (und im Enthusiasmus Gotterfülltheit).[33] Einen «kosmischen Nihilisten» nennt Thomas Mann Mephisto; das Nihilistische, Negative bildet für ihn das Zentrum der Figur. Das deckt sich durchaus mit Goethes eigener Auffassung, für den Mephisto viel eher eine negative als eine aktiv böse Kraft bedeutete. So antwortete er auch, als Eckermann in dem bekannten Gespräch über das Dämonische vom 2. März 1831 ihn fragte, ob nicht auch Mephistopheles dämonische Züge habe, nein, denn das Dämonische äußere sich in einer durchaus positiven Tatkraft, Mephistopheles aber sei ein viel zu negatives Wesen.

Das Blasierte, Kalte, Kritische, Distanzierte, der spöttische Hang zum Glossieren, die überlegene Intellektualität, der böse Blick zuschauender Desillusionierung, die Tendenz zur Entwertung, das Zuhausesein im Leeren und Nichtigen, all das macht in der Tat Mephisto zum vollkommenen Typus des ironischen Nihilisten. Aber für Thomas Mann bedeutet Mephisto nicht nur die Ironie als Gestalt; ironisch erscheint ihm auch die Stellung des Dichters selbst zu seinem Geschöpf. Goethe spielt mit seiner Figur, sagt Thomas Mann, er gibt ihr Augenblicke satirischer Selbstaufhebung und Einschränkung ihrer Wirklichkeit, in denen er aus der Rolle fällt und seine Skepsis und Verneinung sich gegen ihn selber wendet. Das erinnert an die Art, in der der ironische Dichter, Tieck etwa, mit seinen Figuren spielt, jederzeit willens, die hervorgerufene Illusion überlegen wieder zu zerstören; die «Selbstaufhebung durch Ironie», von der Thomas Mann angesichts Mephistos spricht, gehört überdies durchaus zur Idee der Ironie; sie zeigt das konsequente Verhalten des Ironikers, dessen «über allem schwebender, alles vernichtender Blick»[34] sich nicht nur auf die Welt, sondern genau so auf das eigene Ich richten muß.

Goethes Ironie richtet sich indessen nicht nur gegen seine Figur, sondern ebenso gegen ihn selbst; das heißt, Mephisto ist, mit Thomas Manns Worten, «die ironische Selbstkorrektur von Goethes Jugendtitanismus».[35] «Man glaube nicht,» sagt Thomas Mann weiter, «daß der Teufelsnihilismus, die Kritik des Lebens, wie es ist, und schon *weil* es ist, dem Dichter ganz fremd und außerhalb seiner eigenen Seele ist.» Nein, was Mephisto sagt, kommt ebenso aus Goethes eigenem Wesen und Gefühl wie die Lebensapologetik, und so erfindet sich Goethe einen Teufel, «um ihn zum dialektischen Mundstück all dessen zu machen, was Empörung, Verneinung, kritische Bitterkeit in ihm selber ist».

Daß nicht nur Faust, sondern auch Mephisto einen Teil von Goethes Wesen ausdrückt, ist natürlich schon oft bemerkt worden, und läßt sich durch eigene Bemerkungen Goethes stützen wie die zu Eckermann getane, vom 3. Mai 1827, in der Goethe lobend hervorhebt, wie geistreich sich der Franzose Ampère über den «Faust» geäußert habe, indem er nicht bloß das düstere, unbefriedigte Streben der Hauptfigur, sondern auch die herbe Ironie des Mephistopheles als Teile von Goethes eigenem Wesen bezeichnet habe.

Wie tief diese Anlage zur Ironie in Goethe wurzelt, ist verschieden beurteilt worden,[36] daß aber diese Ironie Goethes sich wesenhaft von der romantischen Ironie unterscheidet, ist wiederum aufs glücklichste von Kierkegaard formuliert worden, wenn er der «unendlichen» romantischen Ironie die Goethesche als «beherrschte Ironie» entgegenstellt.[37] «Wenn das Individuum richtig gestellt ist,» sagt Kierkegaard, «und das ist es dadurch, daß die Ironie begrenzt ist, so bekommt die Ironie erst ihre rechte Bedeutung, ihre wahre Gültigkeit ... Wie deshalb die Wissenschaftler behaupten, daß keine wahre Wissenschaft ohne Zweifel möglich ist, so kann man mit demselben Recht behaupten, daß kein echtes humanes Leben ohne Ironie möglich ist. Wenn die Ironie nämlich erst beherrscht ist, dann vollzieht sie die entgegengesetzte Bewegung von der, worin sie unbeherrscht ihr Leben verkündet. Die Ironie limitiert, verendlicht, begrenzt und gibt dadurch Wahrheit, Wirklichkeit, Inhalt; sie züchtigt und straft und gibt dadurch Haltung und Konsistenz.»[38]

Wenn also Goethe beispielsweise im Vorwort zur «Farbenlehre» erklärt, daß man mit «Ironie» theoretisieren müsse,[39] wobei er ausdrücklich noch hinzusetzt, daß er sich eines «gewagten» Wortes bediene, so ist hier zweifellos an diese begrenzende Aufgabe der Ironie gedacht, die den Forscher durch

«Selbstkenntnis» verhindern soll, sich und seine Meinung absolut zu nehmen. Oder wenn Goethe erklärt, daß er gegen den Philologen Wolff immer als Mephistopheles agiere, weil er sonst mit seinen Schätzen nicht hervorgehe [40] —, in diesen und ähnlichen Aeußerungen ist die Ironie «dienender Geist».[41] Und was Goethes von Thomas Mann mehrfach hervorgehobene Indifferenz, seine «naturelbische Dichtergesinnungslosigkeit» anbelangt, so hat Goethe anläßlich von Gesprächen, die er in Karlsbad mit dem Prediger Reinhard führte, betont, daß sein «scheinbarer liberalistischer Indifferentismus... doch nur eine Maske sein dürfte,» hinter der er sich «gegen Pedanterie und Dünkel zu schützen suchte».[42]

Was Goethe in seinem Nachruf auf Wieland sagte: «Der geistreiche Mann spielte gern mit seinen Meinungen, aber... niemals mit seinen Gesinnungen,»[43] gilt nicht weniger von ihm selbst. Hinter allem ironischen Spiel steht bei ihm ein tiefer Ernst, und so gewiß sein Mephisto einen Teil seines eigenen Wesens ausdrückt, so gewiß ist diesem Teil doch sein bestimmter Platz in einer festen Rangordnung der Werte zugewiesen. Man muß sich nur klarmachen, wie Mephisto im Stück endet, als geprellter dummer Teufel nämlich, und daß Faust zur himmlischen Gnade emporgeführt wird, um einzusehen, daß in Goethes Welt die Ironie so wenig wie das Böse eine absolute Macht bedeutet, sondern dem Positiven, wenn auch widerwillig, zu dienen hat.

Auch von Thomas Manns eigener Ironie schließlich gilt Kierkegaards Wort von der «beherrschten» Ironie. Zwar hat Thomas Mann selbst den «Zauberberg» als ein «ironisches Literaturwerk» bezeichnet,[44] aber man wird daran nur gelten lassen, daß der «Zauberberg» in der Tat eine vollendete *Darstellung* der Ironie ist, für deren Abstand zum Leben, deren negative Freiheit hier ein tiefes Symbol gefunden ist, aber man wird sich weigern, die Haltung des Dichters selbst als Ironie im eigentlichen Sinne zu bezeichnen, weil diese Haltung eine *wertende* Haltung ist. Wahre Ironie aber entscheidet sich nicht; sie bedeutet «Unverbindlichkeit»;[45] Ironie ist, Thomas Mann hat es oft gesagt, «immer Ironie nach beiden Seiten hin,» «sie richtet sich gegen das Leben sowohl wie gegen den Geist».[46] Gewiß findet sich diese Ironie im Werke Thomas Manns, und als ihr reinstes Beispiel ist vielleicht die Tristan-Novelle zu betrachten, wo der Geist durch die anämische Figur des Schriftstellers Spinell, und das Leben durch den vierschrötigen Klöterjahn vertreten ist, und der Autor selbst sich aufs äußerste von seinen Figuren distanziert. Hier sind beide Seiten bis zur Nichtigkeit entwertet.

In dieser Novelle, im «Tonio Kröger» und seiner spielerisch schwebenden Stellung zwischen dem Bürgertum und der Kunst, in dem dünn überlegenen Ton von «Königliche Hoheit» wird die Gefahr sichtbar, von der Thomas Mann bedroht war und sich selbst bedroht gesehen hat: das Artistentum. Und in diesem Sinne ist der «Tod in Venedig» zweifellos «eine zur Selbstwarnung heraufbeschworene Projektion einer eigenen Schicksalsmöglichkeit.»[47] Welchen Schritt aus der Sympathie mit dem Abgrund heraus nun aber der «Zauberberg» bedeutet, das hat unübertrefflich Thomas Mann selbst ausgedrückt, wenn er dies Buch «das Buch eines guten Willens und Entschlusses» nennt, «ein Buch ideeller Absage an vieles Geliebte, an manche gefährliche Sympathie, Verzauberung und Verführung ... ein Buch des Abschiedes und pädagogischer Selbstdisziplinierung; sein Dienst ist Lebensdienst, sein Wille Gesundheit, sein Ziel die Zukunft».[48]

Denn Thomas Mann kennt noch eine zweite Formel für Ironie, nämlich «daß sie die Selbstverneinung, der Selbstverrat des Geistes zugunsten des Lebens ist».[49] Das ist die «sentimentalische Ironie», von der Thomas Mann in «Goethe und Tolstoi» spricht und die für ihn in den Versen Hölderlins verewigt ist:

Wer das Tiefste gedacht, liebt das Lebendigste,
Hohe Tugend versteht, wer in die Welt geblickt,
Und es neigen die Weisen
Oft am Ende zu Schönem sich.[50]

Ironie in diesem Sinne, «begrenzte Ironie», wäre demnach, so könnte man sagen, die «Selbstkorrektur» von Thomas Manns «jugendlicher Sympathie mit der Krankheit und dem Tode».

Denn nun wird der Tod nicht mehr «als selbständige geistige Macht dem Leben entgegengestellt» — dies wäre «lasterhafte Romantik» —, sondern «heiligend-geheiligt darin aufgenommen». Und, sagt Thomas Mann in seiner Rede «Von deutscher Republik», «es könnte Gegenstand eines Bildungsromans sein, zu zeigen, daß das Erlebnis des Todes zuletzt ein Erlebnis des Lebens ist, daß es zum Menschen führt».[51] Dieser Bildungsroman ist der «Zauberberg». Daß hier eine Wendung zum Lebensdienst vorliegt, die dann später in den Joseph-Romanen und in «Lotte in Weimar» noch ausgeprägter werden soll, ist vielfach verkannt, zum Teil ausdrücklich bestritten worden.[52] Namentlich der Schluß hat Anlaß zur Kritik gegeben. Man hat erklärt, daß der Dichter, indem er seinen Helden im Kanonendonner des Weltkrieges verschwinden lasse, Verrat an der Ernsthaftigkeit seiner eigenen Idee begehe.[53] Aber das Entscheidende am Schluß ist doch: Teilnahme am Leben. Die Isolierung ist durchbrochen, der Individualismus aufgegeben, der Herrschaft des Todes abgesagt («Immer flossen die Begriffe des Individualismus und des Todes mir zusammen,» sagt Thomas Mann an einer anderen Stelle).[54] Es mag tragisch sein, daß alles an Gemeinschaft, was die Zeit dem jungen Mann, der seine Lehrjahre hinter sich hat, zu bieten hat, die Gemeinschaft des Krieges ist, und man mag selbst fragen, wo denn schon die Entwicklung über die Lebensform des Zauberbergs hinaus liege, wenn auch im «Flachland» nur gestorben wird. Ein Blick auf Joachim Ziemssens Tod mag die Antwort geben. Denn Joachim, der vom Dichter mit so unverkennbarer Liebe behandelt wird, verhält sich nur scheinbar töricht, wenn er seine Kur abbricht, zu seinem Regiment zurückkehrt und sich dort den Tod holt. In Wirklichkeit ist er seinem Gesetz gefolgt und hat seine Lebensform erfüllt; wenn er jetzt stirbt, stirbt er «im Dienst» seiner Idee, «als Soldat und brav,» während sonst auf dem

Zauberberg völlig sinnlos gestorben wird, der Körper, die Materie ausschließlich herrscht. Wenn bei Thomas Mann im antithetischen Gegeneinander der Kräfte das Leben schließlich den Sieg davonträgt, so heißt das nicht, daß die Gegenseite einfach verneint, sondern daß sie der Idee des Lebens eingeordnet wird. Immer geht Thomas Manns Bemühung, unter dem Zeichen Goethes, nicht auf Distanzierung, sondern auf echte Synthese, auf die wechselseitige Durchdringung der polaren Kräfte. Tonio Kröger hatte von sich noch sagen können: «Ich stehe zwischen zwei Welten, bin in keiner daheim und habe es infolgedessen ein wenig schwer.» Dies war autobiographische Spiegelung gewesen. Was sich, fünfunddreißig Jahre später, aus einer anderen Künstlernovelle ablesen läßt, einer Erzählung, die den ungeheuren Lebensumfang des bewunderten und geliebten Goetheschen Vorbildes einzufangen sucht, heißt nicht mehr: «Ich bin in keiner daheim,» sondern: «Ich bin in beiden daheim.» Auch dann mag man es noch schwer haben; aber diese Schwere ist fruchtbar.

V

SYNTHESE

In einer Rede auf Gerhart Hauptmann, in deren Mittelpunkt, wieder einmal, das Thomas Mann so tief anrührende Problem der Krankheit steht, kommt der Dichter auf das Thema der *Wende* zu sprechen, jenen Augenblick der Umkehr, wo die geistige Neigung zur Krankheit sich als Beginn höherer Gesundheit erweist. Thomas Mann führt das aus an drei Erkenntnissen seines Helden aus dem «Zauberberg». An einem bestimmten Punkte des Romans, sagt Thomas Mann, äußere der junge Mann die Einsicht: «Und wenn man sich für das Leben interessiert, so interessiert man sich namentlich für den Tod. Tut man das nicht?»[1] Aber eine Zeit vergeht, fährt Thomas Mann fort, und zu dem selben Gedankenpunkt zurückgekehrt, *wendet* der Lernende das Aperçu; er sagt: «Denn alles Interesse für Tod und Krankheit ist nichts als eine Art von Ausdruck für das am Leben.» Und hier nun entdeckt der junge Mann den Weg, von dem im dritten Erkenntnissatz die Rede ist, jenem vielzitierten Satze, der in der Tat einer der Kernsätze des Thomas Mannschen Lebensgefühls ist: «Zum Leben gibt es zwei Wege, der eine ist der gewöhnliche, direkte und brave. Der andere ist schlimm, er führt über den Tod, und das ist der *geniale* Weg!»

In drei Stufen ist hier der Umschlag deutlich gemacht, der sich in der Entwicklung Thomas Manns vollzieht von der romantischen Sympathie mit dem Tode, dem Schopenhauerschen Pessimismus, zu einem umfassenden Lebensbegriff, der die radikalsten Gegensätze in sich einzuschließen imstande ist. Thomas Mann hat erklärt, er habe seinen Lebensbegriff von Nietzsche, und man hat das allgemein akzeptiert, ohne genügend zu beachten, daß Thomas Mann selbst diese Behauptung sehr stark eingeschränkt hat. Was Nietzsche bot, war nach Schopenhauerscher Weltverneinung und Wagnerscher Todesmystik das rebellierende Erlebnis der Lebensbejahung um jeden Preis; von dem *Inhalt* des Nietzscheschen Lebensbegriffes aber und was er als Folge zeitigte, der Idee des «schönen» und «starken» Lebens, dem «Ruchlosigkeits- und Renaissanceästhetizismus», dem «hysterischen Macht-, Schönheits- und Lebenskult» hat sich Thomas Mann doch außerordentlich stark distanziert,[2] zugunsten einer normaleren, gewöhnlicheren, «bürgerlicheren» Auffassung des Lebens.

Von diesem Leben ausgeschlossen zu sein, machte das Leiden und die Problematik seiner frühen Helden aus, namentlich soweit sie Künstler waren; aber gerade weil die Vorstellung, die Thomas Mann vom Leben hatte, nicht romantisch sondern real, nicht phantastisch sondern nüchtern, nicht abenteuerhaft sondern bürgerlich war, war es möglich, eine Verbindung der beiden Sphären zu finden.

Dieser neue Begriff des Dichters erfordert es, daß er Natur und Geist in sich vereinigt,[3] und die exemplarische Bedeutung, die Goethe für Thomas Mann bekommt, beruht vor allem darin, daß er das größte Beispiel für die Realisierbarkeit einer solchen Synthese von Kunst und Bürgerlichkeit, von Geist und Natur darstellt.[4] Die große künstlerische Leistung Goethes steht dabei nicht einmal im Vordergrund; viel stärkerer Nachdruck liegt auf seiner menschlichen Entwicklung. Das ist in Goethes eigenem Sinne, der gesagt hatte, «Ich achte das Leben höher als die Kunst, welche es nur verschönt,» und dasselbe bedeutet es, wenn Thomas Mann von sich sagt: «Nie habe ich mich im Wortsinne als ‚Aestheten‘, sondern immer als Moralisten gefühlt.»[5] Schon Nietzsche hatte unübertrefflich formuliert, was später Thomas Manns Goethestreben die Richtung geben sollte: «Was Goethe wollte,» heißt es in der «Götzendämmerung», «das war Totalität, ... er disziplinierte sich zur Ganzheit, er *schuf* sich ... er löste sich nicht vom Leben ab, er stellte sich hinein.»[6] Diese zwei Gedanken, der Gedanke der Totalität, der Ganzheit, und der Weg zu ihr, die beständige Selbstdisziplinierung, das Ich als Aufgabe gesehen, sind die zwei großen Leitideen von Thomas Manns Goethebild.

Ganzheit wurde das beherrschende Ziel eines Dichters, der von sich erklärt hatte, daß er kein Dichter sei, sondern als Moderner allenfalls «halb und halb», das heißt zur Hälfte Kritiker und Werkzeug des zivilisierenden Geistes.[7] Aber Goethes Beispiel zeigt dem Zwiespältigen nicht nur, daß es möglich ist, die inneren Gegensätze zu einer Einheit zusammenzufassen, sondern daß umgekehrt auch der Begriff der Totalität selbst es erfordert, daß sie in Gegensätze zerlegbar sei. Mit Goethes Worten: «Der Gegensatz der Extreme, indem er an einer Einheit entsteht, bewirkt eben dadurch die Möglichkeit einer Verbindung.»[8] Hierin liegt Goethes Idee der Polarität; und die mit ihr gegebene Möglichkeit, das Wesen eines Gegenstandes oder einer Person durch die Nennung der Extreme, zwischen denen sie sich befinden oder bewegen, auszudrücken, wird nun von Thomas Mann zu einer souveränen Technik der Charakterisierung ausgebildet und verschwenderisch angewendet. «Bieder und geistig, stark und milde,» mit dieser kontradiktorischen Formulierung sucht er die dichterische Persönlichkeit Gerhart Hauptmanns zu umschreiben.[9] Er spricht von Wassermann und nennt sein Künstlertum eine «großartige Mischung aus Virtuosität und heiligem Ernst,»[10] eine «Kunst, die äußerste Verfeinerung mit urepischer Einfalt mischt,» ist ihm die Kunst Knut Hamsuns;[11] «die unauflösliche Mischung von Dämonie und Bürgerlichkeit, die sein Wesen ausmacht,» heißt es von Richard Wagner,[12] und ein anderes Mal ruft er, angesichts des gleichen Künstlers aus: «Wo ist zum zweiten Mal eine solche Vereinigung von Größe und Raffinement, von Sinnigkeit und sublimer Verderbtheit, von Popularität und Teufelsartistik;»[13] «Größe und Raffinement, titanische Morbidität» sieht er in Ibsen,[14] «titanische Hilflosigkeit» in Tolstoi,[15] die «Diskretion einer Monumentalität» im Werke Liebermanns.[16] Er spricht von der «herzlichen Verständigkeit» Lessings[17] und von der «verantwortungsvollen Ungebundenheit» Fontanes.[18] Auf Mischung, «geheimnisvolle», «unauflösliche» Mischung ist das Wesen des künstlerischen Talentes und des großen Menschen überhaupt gegründet. Eine «Mischung» aus «Vornehmheit und Freiheit, Geschichte und Gegenwärtigkeit» findet Thomas Mann in dem Künstlertum Frans Masereels aufs glücklichste verwirklicht,[19] und den englischen Schriftsteller Galsworthy nennt er «einen Geistesmenschen, ... in dem Leiden und Formtrieb jene geheimnisvolle Mischung eingegangen sind, die die Quelle der Literatur ist».[20] Die Beispiele ließen sich vermehren. Das Prinzip, das ihnen zugrunde liegt, hat Goethe folgendermaßen ausgedrückt: «Da wir das, was in uns vorgeht, nicht geradezu ausdrücken können, sucht der Geist durch Gegensätze zu operieren, die Frage von zwei Seiten zu beantworten und so gleichsam die Sache in der Mitte zu fassen.»[21]

Diese Konzeption von der «Urpolarität aller Wesen, welche die unendliche Mannigfaltigkeit der Erscheinungen durchdringt und belebt,»[22] läßt sich als formender Antrieb bis in den einzelnen Satzteil verfolgen; Goethesche Lieblingswendungen wie «ernst-heiter,» «gesetzmäßig-frei,» «offenbares Geheimnis» sind mit Recht als der «rhetorische Ausdruck seines Bestrebens, die beiden Pole einer Sache oder eines Begriffes gleichzeitig zu übersehen und der Totalität des Objektes gerecht zu werden» bezeichnet worden.[23]

Wortverbindungen Thomas Manns wie «gesittet-verwegen,»[24] «diskrete Kühnheit,»[25] «köstlich-schlimmes Geheimnis,»[26] oder «öffentliche Einsamkeit, einsame Oeffentlichkeit,» womit das «Lebenselement» des Künstlers bezeichnet werden soll,[27] weisen die gleiche Struktur auf; sie sind stilistische Formung einer Weltansicht, die unter dem Vorbild Goethes gelernt hat, einander widerstrebende Kräfte nicht sich gegenseitig aufheben zu lassen, sondern als polare Aeußerungen einer inneren Einheit zusammenzufassen und zu begreifen.[28]

Das größte Thema freilich, das nun von Thomas Mann in nimmermüden Wendungen umkreist wird, ist Goethe selbst. «Goethes Natur ... wie sie alle Gegensätze in sich zu schließen geschaffen war,[29] kann deshalb auch nur in Gegensätzen ausgedrückt und umschrieben werden. In diesem Sinne ist Goethe für Thomas Mann «ein wundervolles Beispiel dafür, daß reinste Naivität und mächtigster Verstand Hand in Hand gehen können».[30] Dieser Grundgegensatz von Naivität und mächtigstem Verstand wird nun in zahlreichen Variationen abgewandelt. «Eine Menschlichkeit äußert sich,» sagt Thomas Mann, «in der das Dämonische und das Urbane, das Unbedingte und das Artige, Genie und Schicklichkeit eine ganz einmalige und großartig-liebenswürdige Mischung eingegangen waren.»[31] Diese Vereinigung von Dämon und Urbanität ist eine Lieblingswendung von Thomas Mann und kehrt öfters wieder, sie «ist im Wesen dieselbe wie die Vereinigung des Geniehaften und Vernunftvollen in ihm, des Geheimnisses und der Klarheit, des Tiefenlautes und des geschliffenen Wortes, der Lyrik und des Psychologentums».[32]

Dieselbe Grundstruktur, die Goethes ganzes Sein beherrscht, zeigt sich nun auch als für das einzelne Werk bestimmend. So leuchtet Thomas Mann die «Wahlverwandtschaften» von den verschiedensten Seiten aus ab,[33] um immer wieder die Einheit durch Gegensätze ausgedrückt zu finden. Er steckt zunächst die Umrisse im Allgemeinsten ab und entdeckt «ein Gebild, so mondain wie deutsch, ... ein Werk von so zarter und unerbittlicher Kenntnis des Menschenherzens, so ausgeglichen in Güte und Strenge, Klarheit und Geheimnis, Klugheit und Ergriffenheit, Form und Gefühl, daß wir es nur mit Staunen das unsere nennen».

Er spricht von der Sprachform und erblickt dasselbe Gesetz: einen rhythmischen Zauber, «der ein vernünftiger Zauber, die klarste Mischung von Eros und Logos ist».

Er betrachtet den menschlichen Adel, den das Werk verkörpert und der in seiner «Ausgewogenheit» beruht, seinem «Gleichgewicht von Sinnlichkeit und Sittlichkeit», und benennt dasselbe Phänomen, auf die künstlerische Ebene übertragen als «Gleichgewicht von Plastik und Kritik, Unmittelbarkeit und Gedachtheit» und sieht schließlich als oberstes Gegensatzpaar das von «Natur und Freiheit», das alle anderen in sich schließt.

Thomas Mann bezeichnet die «Wahlverwandtschaften» als Goethes *ideellstes* Werk, aber als das ideelle Werk eines *naiven* Dichters, in dem Natur und Geist sich aufs glücklichste durchdringen; was überdies für ihn zum Anlaß wird, wieder einmal auf Schillers Essay über das Naive und Sentimentalische hinzuweisen, «diesen klassischen Essay der Deutschen, der eigentlich alle übrigen überflüssig macht, da er sie in sich enthält».

Die «Wahlverwandtschaften» sind «geistige Konstruktion» und somit ein sehr bewußtes Werk, aber das bewußte Werk eines Natursohnes, und so sind auch die Charaktere dieses Romans nicht wesenlose Ideen, nicht Verkörperungen abstrakter Gedanken, sondern Menschen, voll warmen individuellen Lebens, so wirklich, daß man überall nach den gesellschaftlichen Urbildern gesucht hat. *Zugleich* aber, erklärt Thomas Mann, sind diese Menschen Symbole, «ebenmäßig angeordnete und durcheinander bewegte Schachfiguren einer hohen Gedankenpartie».

«Wir sagen ‚zugleich‘,» betont Thomas Mann, «nicht nebenher, außerdem. Denn es handelt sich um ein Ineinander von Plastik und Idee, von Vergeistigung und Verleiblichung, eine wechselseitige Durchdringung des naiven und sentimentalischen Wesens, wie sie sich so glücklich in aller Kunstgeschichte nicht wieder ereignet hat.»

Und nun folgt eine Untersuchung über Goethes Stellung zum Christentum, soweit sie in den «Wahlverwandtschaften» sich ausdrückt. Es ist die Christlichkeit eines «dezidierten Nicht-Christen». Thomas Mann findet es wohlfeil, Goethes Abneigung gegen das «Kreuz» mit Zitaten zu belegen: statt dessen hebt er Goethes Ehrfurcht vor dem Christentum hervor und nennt die «Wahlverwandtschaften» Goethes «allerchristlichstes Werk». Aber es ist das christliche Werk eines Heiden allerdings, der «der Natur, seinem Elemente, in allem Gehorsam gegen das Vergeistigungsgebot nicht untreu wird».

In ein paar schlagenden Sätzen wird der Bedeutung des Naturwissenschaftlichen im Zusammenhang des Ganzen gedacht, des Begriffes der chemischen «Affinität», in dem Anziehung und Gegensätzlichkeit sich verbinden; der Kühnheit, «die in der Konzeption lag, die Naturgebundenheit des Menschen, seine leidenschaftliche Notwendigkeit in ein Symbol jener Wissenschaft zu kleiden, in der das Exakte mit dem Mystischen sich von jeher, wie in keiner anderen, vermischte» — und es wird schließlich der Naturgebundenheit die *Freiheit* des Menschen entgegengesetzt, jene «unberechenbaren Kräfte der Menschenseele, ... die vielleicht einer höheren Ordnung angehören». Und noch einmal derselbe Gegensatz spiegelt sich in der «holden Gestalt» der Ottilie: «die ganze Unschuld und Schuldhaftigkeit der Natur,» die natürliche Gebundenheit zugleich mit der sittlichen Freiheit des Menschen, beide zur Einheit verbunden.

Einheit, hebt der Schluß noch einmal das Leitmotiv des Aufsatzes hervor, «Einheit von Gestalt und Gedanke,» «Naturvergeistigung» als Essenz des Werkes, und der Bund von Natur und Geist, verwirklicht in der Person des Dichters.

Aber auf diese Person des Dichters kommt es an. Denn nicht in den Gegensätzen an sich liegt die Vereinigung schon beschlossen; voller Widersprüche zu sein, kann ebenso wohl zu bejahender Lebenstotalität wie zu nihilistischer Wertindifferenz führen; die Ambivalenz, die in Thomas Manns Stellung zu Friedrich dem Großen etwa und dem «Foppenden» seines Wesens sichtbar wird, unterscheidet sich deshalb auch aufschlußreich von der bewundernden Liebe zu Goethe, die in immer neuen Kundgebungen nach Ausdruck verlangt.

Dies «Foppende,» sagt Thomas Mann, «beruht auf dem *Dualismus,* den J. J. Rousseau auf die Formel brachte: «Il pense en philosophe et se conduit en roi.» «Das ist eine große Antithese,» fährt er fort, «die viele lebendige Gegensätze umschließt: den Gegensatz zum Beispiel von Recht und Macht, von Gedanke und Tat, Freiheit und Schicksal, Vernunft und Dämon, bürgerlicher Sittigung und heroischer Pflicht. Solche Gegensätze, vereinigt und zum *Streit der Instinkte* geworden in einem Geist und Blut —, das ergibt selbstverständlich kein wohliges, logisches und harmonisches Leben. Es ergibt *Ironie* nach beiden Seiten hin, eine radikale Skepsis, einen im Grunde nihilistischen Fanatismus der Leistung und eine so bösartige als melancholische Souveränität».[34]

In Friedrich verzehrt sich das Persönliche im Dienste einer Aufgabe, bei Goethe erfüllt und vollendet es sich. Das Wort Goethes, das Thomas Mann einmal anführt: es gäbe nur zwei Wege, ein bedeutendes Ziel zu erreichen: Gewalt und Folge, ist wie auf diesen Gegensatz hin gesagt; und wenn Thomas Mann im Hinblick auf Goethe fortfährt: «Der Weg dieses großen Gewaltlosen und Friedensmenschen war die Folge, die Konsequenz, die ruhige Ausdauer,» so ist damit ein weiteres Element genannt, das neben der Polaritätsidee wesentlich für Thomas Manns Goethebetrachtung ist. Es ist das «ungewollte, ehrgeizlose, stille und natürliche, fast pflanzenhafte Wachstum aus unscheinbaren Anfängen ins Allbedeutende,» das für Thomas Mann «das persönlich Liebenswerteste an Goethes gewaltigem Lebenswerk» bedeutet.[35]

Goethes Wesen ist nicht zu erschließen aus der Symbolkraft eines einzigen Werkes, und nicht zu addieren aus der Summe seiner Werke; es beruht in einer Totalität, in der auch das Werk nur einen Teil ausmacht. Es ist überdies kein Zustand sondern ein Ereignis, kein Sein sondern ein Werden, ein ewiges Wandeln und Verwandeln, nicht blind freilich sondern sinnhaft; es ist, mit einem Wort: *Bildung.* Dieser Goethesche, deutsche Gedanke der Bildung steht auch im Mittelpunkt des «Zauberberg»; Thomas Mann selbst hat bemerkt, daß er es in dieser Geschichte unternommen habe, «den alten deutschen Wilhelm Meisterschen Bildungsroman . . . zu erneuern,»[36] mit dem charakteristischen Zusatz freilich: «auf wunderliche, ironische und fast parodistische Weise.»

Aber eben doch auf *fast* parodistische Weise; und es ist ja wohl kein Zufall, daß Thomas Mann die völlige Parodie, da wo sie offenbar seine Absicht gewesen war, in den «Bekenntnissen des Hochstaplers Krull» nämlich, nicht vollenden konnte. «Man hat teil an der intellektualistischen Zersetzung des Deutschtums,» bekennt Thomas Mann, «wenn man vor dem Kriege auf dem Punkte stand, den deutschen Bildungs- und Entwicklungsroman, die große deutsche Autobiographie als Memoiren eines Hochstaplers zu parodieren.»[37]

Die Form des Bildungsromans setzt einen Glauben voraus, den Glauben an den Sinn menschlichen Strebens, an die Erreichbarkeit eines Ziels, an die Lösbarkeit einer Aufgabe. Wo dieser Glaube verloren gegangen ist, wird nicht mehr Bildung, sondern Zerstörung des Individuums zum Thema des Romans; aus der Diskrepanz von traditioneller Form und zersetztem Gehalt entsteht in der Tat die Parodie, eine Parodie allerdings, deren Absicht und Wirkung nicht Komik, sondern Kritik und Desillusionierung ist. Es entstehen jene Gebilde einer entgötterten Welt, von Flauberts «Education Sentimentale» bis zu Schnitzlers «Therese» und Rilkes «Malte Laurids Brigge», in denen die «epische Bildungsreise» zum planlosen Spaziergang, hilflosen Sichtreibenlassen oder zur tragischen Fahrt ins Dunkel wird.

Es ist kein Zweifel, daß Thomas Mann von dieser Gefahr bedroht gewesen ist, ebenso sicher freilich auch, daß diese Gefahr Kräfte des Widerstandes in ihm aufgerufen hat. «In Fällen wie meinem begegnen sich destruktive und erhaltende Tendenzen,» hat er selbst gesagt.[38] Daß solche entgegengesetzte Tendenzen sich nicht lahmzulegen oder aufzuheben brauchen, wird offenbar, sobald sie als notwendig zusammengehörende Teile einer Ganzheit gesehen werden. Bildung bedeutet ja nicht bloß Erweiterung, Assimilation von Neuem, sondern zugleich auch Abwerfen und Abstoßen von Altem und Abgelebtem. Hermann Weigand hat in seinem Buch über den «Zauberberg» diese organische Zusammengehörigkeit von Aufbau und Zerstörung als den innersten Kern des «Zauberbergs» aufgedeckt; eine Einsicht in das Wesen lebendiger Verwandlung, die die Bedeutung des Todes in diesem Buche in ganz anderem Sinne als dem makabrer Vorliebe für das Verwesliche erscheinen läßt. Dieses geheime Zentrum des Romans findet Weigand in einem Gespräch zwischen Naphta und Hans Castorp über die Ursprünge der Freimaurerei und ihre Symbolik. Die Hochmeistergrade der Logen seien Eingeweihte der physica mystica, große Alchemisten gewesen, bemerkt Naphta, und als das Wesen der Alchemie erklärt er Hans Castorp «Läuterung, Stoffverwandlung und Stoffveredlung, Transsubstantiation, und zwar zum Höheren, Steigerung also . . . magische Pädagogik, wenn Sie wollen».[39] «Ein Symbol alchemistischer Transmutation,» fährt Naphta fort, «war vor allem die Gruft . . . die Stätte der Verwesung. Sie ist der Inbegriff aller Hermetik, nichts anderes als das Gefäß, die wohlverwahrte Kristallretorte, worin der Stoff seiner letzten Wandlung und Läuterung entgegengezwängt wird.» Und seine Schilderung des Einweihungszeremoniells schließt Naphta mit den Worten: «Der Weg der Mysterien und der Läuterung war von Gefahren umlagert, er führte durch Todesbangen, durch das Reich der Verwesung, und der Lehrling, der Neophyt, ist die nach den Wundern des Lebens begierige, nach Erweckung zu dämonischer Erlebnisfähigkeit verlangende Jugend, geführt von Vermummten, die nur Schatten des Geheimnisses sind.»[40]

Mit Recht sieht Weigand in diesem letzten Satz den magischen Schlüssel, der den Zauberberg aufschließt und die esoterische Bedeutung des Romans enthält, als eines langwierigen Prozesses der Einführung Hans Castorps ins Leben durch die Vermittlung von Tod und Verwesung.[41]

·Von hier aus fällt freilich überraschendes Licht auch auf die Joseph-Romane. Wiederum, und zwar zweimal an entscheidender Stelle, taucht die Symbolik der Gruft auf; zweimal muß Joseph durch die «finsteren Gewölbe» gehen, durch die der

Novize auf dem Wege zu «höherer Verwandlung» geführt wird: einmal, wenn er von seinen Brüdern in die Grube geworfen wird, und das zweite Mal in Aegypten, bei seinem Sturz ins Gefängnis. So führt dieser mythische Bildungsroman fort, was der «Zauberberg» begonnen hat, auch er einen Prozeß der Wandlung darstellend, in dem der Stoff des Lebens seiner Läuterung entgegengezwängt wird, in einem Vorgang von Tod und Wiedergeburt, dessen Sinn ganz beschlossen ist im «offenbaren Geheimnis» von Goethes magischer Formel: Stirb und Werde!

VI

DEUTSCHTUM

Das große Vorbild Goethes bedeutet für Thomas Mann nicht nur die Lösung einer persönlichen, sondern überdies einer nationalen Problematik. Denn darüber, «daß deutsches Wesen quälend problematisch ist,» besteht für ihn kein Zweifel.[1] Wie so viele bedeutende Deutsche hat auch Thomas Mann die Frage nach dem Wesen und der Bestimmung, nach dem Sein und dem Sollen des deutschen Volkes nicht zur Ruhe kommen lassen. «Es kennzeichnet die Deutschen,» fand Nietzsche, «daß bei ihnen die Frage: was ist deutsch? niemals ausstirbt.»[1a]

Diese schwere und quälende Frage hat Thomas Mann nicht immer auf dieselbe Weise beantwortet. Unschwer lassen sich drei große Epochen in seiner Entwicklung unterscheiden, die von den politischen Ereignissen der Zeit bestimmt sind: dem ersten Weltkrieg, der Gründung der Weimarer Republik und der Machtergreifung des Nationalsozialismus. Unter dem Eindruck des Krieges steht zunächst der Gedanke an die deutsche Vergangenheit im Vordergrunde und die sorgende Ueberlegung, was es an geistigen und moralischen Werten zu verteidigen und zu erhalten gilt; unter der Weimarer Republik richtet sich der Blick vor allem auf die zu schaffende Zukunft, und die Herrschaft des Nationalsozialismus wird von Anfang an im Zeichen der Verirrung und des Verhängnisses gesehen. Deutsche Ueberlieferung zu bewahren, deutsche Möglichkeiten zu verwirklichen, deutsche Gefahren zu bekämpfen, das sind also die drei kulturpolitischen Aufgaben, vor die sich Thomas Mann gestellt sieht. Der Weg, auf dem er sich den Zugang zur Lösung erkämpfte, ist derselbe, auf dem er mit dem Doppelgesicht des Lebens selbst gerungen hat, und die Antwort gibt schließlich wiederum, als Symbol der Synthese aus schmerzhaft zerrissenen Elementen der große, ehrfürchtig beschworene Name Goethes. Im großartigen Reichtum und der organischen Einheit von Goethes Existenz erscheinen die Kräfte schöpferisch zusammengefaßt, die sonst im deutschen Volke feindselig und scheinbar unversöhnlich auseinanderfallen, und die repräsentative Macht, das Unvereinbare zu vereinen, macht für Thomas Mann den «größten deutschen Dichter» auch zum «deutschesten».[2]

Die Frage nach dem deutschen Wesen hatte sich für Thomas Mann in äußerster Schärfe bei Ausbruch des ersten Weltkrieges gestellt. Von Anfang an war es dabei für ihn klar gewesen, «daß ein Krieg wie der gegenwärtige nicht nur um Macht und Geschäft, sondern namentlich auch um Gedanken geführt wird.»[3] Von Anfang an ist in Thomas Mann die Einsicht lebendig, daß der Krieg den Ablauf der schleichenden Krise, unter der Europa seit langem gelitten hat, nur verstärkt und beschleunigt hat. Im Angesicht der Katastrophe legt Thomas Mann sich die Frage vor: Worum wird, im Geistigen, dieser Kampf geführt? Und welches sind die Lebenswerte, die es in diesem Kampfe zu verteidigen und zu erhalten gilt? Aus diesen Fragen heraus sind die «Betrachtungen eines Unpolitischen» entstanden; «eine Autobiographie des Deutschtums,» «ein kritischer Roman vom deutschen Wesen,» wie Ernst Bertram,[4] eine «qualvoll-witzige Dauergrübelei über Charakter und Schicksal des Deutschtums,» wie Thomas Mann sie selbst genannt hat.[5] Teilnahme am Krieg bedeutet für Thomas Mann «Teilnahme an jenem leidenschaftlichen Prozeß der Selbsterkenntnis, Selbstabgrenzung und Selbstbefestigung, zu dem die deutsche Kultur durch einen furchtbaren geistigen Druck und Ansturm von außen gezwungen wurde».[6] Nicht nur von außen übrigens. Es gehört zu den grundlegenden Erkenntnissen dieses Buches, daß der Riß, der zwischen Deutschland und der Welt besteht, mitten durch Deutschland selbst geht. Denn: «seelischer Kampfplatz für europäische Gegensätze zu sein: das ist deutsch.»[7]

Und noch einmal, im engsten Ringe, wird der gleiche Kampf ausgefochten: in des Dichters eigener Brust. Mit Recht kann Thomas Mann von diesem Buch über Deutschland sagen, es sei «die Darstellung eines innerpersönlichen Zwiespaltes und

Widerstreites».[8] Thomas Mann sucht die Wurzeln auszugraben, aus denen Deutschlands eigentlichstes Wesen erwachsen ist: er findet sie tief in sich. Und er hebt die Waffe gegen die ärgste Gefahr, von der deutsches Wesen bedroht ist, und führt sie gegen das eigene Herz.

Diese Gefahr, gegen die es Deutschland zu schützen gilt — und dies ist die Hauptthese des Buches —, ist der «Westen», ist der «revolutionäre Intellekt,» ist die «Zivilisation,» die «Demokratie,» die «Politik,» der «Geist»: alles Umschreibungen eines und desselben Prinzips. «Wessen Bestreben es wäre,» sagt Thomas Mann, «aus Deutschland einfach eine bürgerliche Demokratie im römisch-westlichen Sinn und Geiste zu machen, der würde ihm sein Bestes und Schwerstes, seine Problematik nehmen wollen, in der seine Nationalität ganz eigentlich besteht.»[9]

Dies «Beste und Schwerste» ist nicht auf eine Formel zu bringen. Thomas Mann spricht vom «unerklärlichen Deutschland,»[10] wenn er von Deutschland spricht, von der «internationalen Fremdheit,» der «Unheimlichkeit der deutschen Seele»;[11] gerade im Gegensatz zum Westen, dessen literarischer Geist um das treffende, definierende, erklärende und werbende Wort so wohl Bescheid weiß, leidet Deutschland an einer tiefen Unfähigkeit, sein Eigenstes und Besonderes Wort werden zu lassen.[12] Dieses eigenste Wort, meint Dostojewski in Ausführungen zur deutschen Weltfrage im Jahre 1877, habe Deutschland in seinem 2000jährigen Kampfe gegen die römische, und ihren Erben, die westliche Welt, noch nicht ausgesprochen. Nur negativ habe es seinem Willen Ausdruck gegeben, indem es sich niemals, weder in seiner Bestimmung noch in seinen Grundsätzen mit der westlichen Welt habe vereinigen wollen. Das «protestierende Reich» nennt Dostojewski deshalb Deutschland, und diese Haltung des Protestes scheint ihm der charakteristischste Zug dieses «großen, stolzen und besonderen Volkes» zu sein, Gedanken, die Thomas Mann bestimmt haben, diese Ausführungen Dostojewskis an die Spitze seines Buches zu stellen und in einem «Der Protest» überschriebenen ersten Kapitel gleichsam zum Grundakkord des ganzen Buches zu machen. Es ist Thomas Manns Ueberzeugung, «daß die geistigen Wurzeln dieses Krieges, welcher mit allem möglichen Recht ‚der deutsche Krieg‘ heißt, in dem eingeborenen und historischen ‚Protestantentum‘ Deutschlands liegen; daß dieser Krieg im wesentlichen einen neuen Ausbruch, den großartigsten vielleicht, den letzten, wie einige glauben, des uralten deutschen Kampfes gegen den Geist des Westens, sowie des Kampfes der römischen Welt gegen das eigensinnige Deutschland bedeutet.»[13]

Nicht ohne tieferen Sinn steht Dostojewskis Name am Beginn dieses Buches, nicht zufällig kehrt er immer wieder, und mit ihm derjenige Tolstois, Turgenjews, Gontscharows, denn es ist der Glaube der «Betrachtungen», daß Deutschland der seelischen Kraft und religiösen Tiefe des russischen Volkes um vieles nähersteht als dem «emanzipierten Intellekt»[14] des Westens.

Die politische Ausdrucksform des «emanzipierten Intellekts» wird von Thomas Mann zu dieser Zeit unter dem Begriff «Demokratie» zusammengefaßt. Man weiß, daß Thomas Mann diese negative Haltung schon ein paar Jahre später aufgegeben hat; man muß sich überdies im klaren sein, wenn man den «Betrachtungen» gerecht werden will, daß Thomas Manns Begriff der Demokratie zunächst nicht so sehr aus der angelsächsischen als der französischen Form der Demokratie entwickelt war. Thomas Mann berührt sich hier sehr stark mit Gedankengängen Jakob Burckhardts, eines konservativen Republikaners, der ja vielfach auf den in der französischen Demokratie verborgenen Radikalismus hingewiesen und sein Leben lang ein plötzliches Umschlagen der Demokratie in die Gewalt befürchtet hat.[15] Den gräßlichen Höhepunkt solcher Demokratie erblickt Thomas Mann in den Schreckensjahren der französischen Revolution, darin ganz einig mit der ablehnenden Haltung Goethes und der deutschen Klassik überhaupt.

Zwei Tendenzen der Zeit sind es hauptsächlich, die Thomas Mann mit dem Wort «Demokratie» zu treffen sucht; einmal die zunehmende Intellektualisierung, Rationalisierung und Mechanisierung des Lebens. Hierin erblickt er die Gefahr einer allgemeinen Verflachung unseres Lebens, das aus viel tieferen Quellen gespeist wird als dem Intellekt. Noch entschiedener aber wendet sich Thomas Mann gegen das zweite Attribut, das er der Demokratie zuerteilt: gegen die Politisierung unseres gesamten Daseins. Politik und Demokratie sind ihm zur Zeit der «Betrachtungen» identisch. Demokratie scheint ihm den Glauben zu fordern, «daß der Staat Zweck und Sinn des menschlichen Daseins sei, daß die Bestimmung des Menschen im Staate aufgehe».[16] Politik ist Teilnahme am Staat, Eifer und Leidenschaft für den Staat, sagt Thomas Mann; er brandmarkt die Meinung, daß die Bestimmung des Menschen im Staatlich-Gesellschaftlichen aufgehe, als «abstoßend inhuman»;[17] er betont, daß «wichtigste Teile des Menschengeistes: Religion, Philosophie, Kunst, Dichtung, Wissenschaft, neben, über, außer dem Staate und oft genug gegen ihn existieren; und er erklärt sich leidenschaftlich gegen jede «offizielle, uniformierte und reglementierte Geistigkeit».[18]

Diese Aeußerungen machen zugleich klar, daß nichts falscher wäre als, wie es mitunter geschieht, diese Feindschaft Thomas Manns gegen die «Demokratie» als eine Vorstufe zum Faschismus zu betrachten.[19] Worum es Thomas Mann in Wirklichkeit geht und immer gegangen ist, ist ja gerade, das Leben des Geistes vom Druck staatlicher Uebermacht freizuhalten, und sein Kampf richtet sich gegen alle Bedrohung solcher Geistesautonomie, ob sie ihm nun von außen oder von innen zu kommen scheint. Gerade hierin liegt die innere Nötigung, aus der heraus Thomas Mann durchaus folgerichtig zum Vorkämpfer gegen den Faschismus geworden ist, in dem Bestreben nämlich, eine geliebte kulturelle Tradition gegen die Ueberwältigung durch ein ihr wesensfremdes Prinzip zu verteidigen. Worin er sich freilich entscheidend geändert hat, ist die Erkenntnis, daß es mit solcher selbstgenügsamen, rein defensiven Haltung nicht getan ist, daß es vielmehr die Aufgabe des Geistes ist, die Wirklichkeit und mit ihr das gesellschaftliche und politische Leben des Menschen zu durchdringen und zu formen.

Nichts in seinem ganzen Leben hat Thomas Mann deshalb so grundsätzlich widerrufen wie die Forderung der «Betrachtungen», daß das geistige Leben vom politischen getrennt werden müsse. In einer im Jahre 1941 gehaltenen Rede hat er seiner eigenen Vergangenheit in aller Schärfe das Urteil gesprochen: «Es war der verhängnisvolle Fehler der gebildeten deutschen Oberklasse,» erkennt er nun, «zwischen Geist und Leben, zwischen Philosophie und politischer Wirklichkeit einen scharfen Trennungsstrich zu ziehen und von der Höhe einer absoluten Kultur verachtungsvoll auf die Sphäre des Sozialen und Politischen herabzublicken. Dies ist es, was dem bürgerlichen Geist in Deutschland seine heutige Erniedrigung eingetragen hat.»[20]

Man kann dem zustimmen; zugleich drängt sich die Frage auf, ob in solcher Trennung geistiger und politischer Sphären, wie sie Thomas Mann in den «Betrachtungen» vornimmt, nicht in später und säkularisierter Form eine Erscheinung sichtbar wird, die für das deutsche Geistesleben von jeher charakteristisch gewesen ist. Luthers grundlegende Unterscheidung zwischen geistlichem und weltlichem Regiment, zwischen dem Reich Gottes und dem Reich dieser Welt, die so überwiegend abseitige Haltung der deutschen Klassik gegenüber Problemen der aktuellen deutschen Wirklichkeit, der vielberufene Gegensatz von «Weimar» und «Potsdam», und Thomas Manns so vehemente Apologie des «Unpolitischen» scheinen in der Tat auf einer Linie zu liegen. Luther hatte, hierin ein Erbe Paulinisch-Augustinischer Lebensentwertung, den Christen aufgefordert, mit aller Kraft nach dem Reich Gottes zu streben, und das Reich dieser Welt dem zu überlassen, der es nehmen wolle. Wenn Schiller später erklärte, deutsches Reich und deutsche Nation seien zweierlei Dinge, so ist dies «Reich», das er dem National-Politischen entgegenstellt, noch immer ein

« geistliches » Reich, das freilich nun nicht mehr in der religiös bestimmten Sprache des Reformators, sondern in der moralischen Bildungssprache des klassischen Deutschland als « sittliche Größe » bezeichnet wird. Entscheidend aber ist, daß diese sittliche Größe unabhängig von den politischen Schicksalen Deutschlands verwirklicht werden kann. « Abgesondert », sagt Schiller im Fragment von 1801, « abgesondert von dem politischen hat der Deutsche sich einen eigenen Wert gegründet. » [21] Und abgesondert vom Politischen sucht auch der Thomas Mann der « Betrachtungen » deutschen Wert zu gründen und zu behaupten. Nicht ein politisch, sondern ein *moralisch* orientiertes Volk sind auch für ihn die Deutschen; [22] Metaphysik, Musik und Pädagogik ihre großen Aufgaben; Schopenhauer, Wagner und Nietzsche das « Dreigestirn », [23] in dessen magischem Zeichen seine eigene Auffassung vom Deutschtum steht.

Zwei Dinge dieser deutschen geistigen Vergangenheit sind es vor allem, die Thomas Mann verteidigt, die ihm erhaltenswert erscheinen, die würdig sind oder wären, Tradition zu bilden: das Lebensgefühl der Romantik und die Bildungsidee der Klassik. Der Romantik gehört Thomas Manns ganze Liebe. Die « Betrachtungen » sind ein Buch des Kampfes und der Leidenschaft; aber mitunter, fast unerwartet, ist es, als ob aus der polemischen Flut stille Inseln auftauchten; es gibt Augenblicke, wo der Gang des Buches ruhig wird, und die Stimme des Autors sich in dankbarer Sammlung hören läßt. Die Bekenntnisse zu Thomas Manns drei großen Erziehern sind hier vor allem zu nennen, oder die Seiten über den « Taugenichts », jene fast heimwehkranke Verherrlichung eines verspielten und verträumten, singenden und wandernden, poetisch verzauberten Deutschlands, das von sozialem Bewußtsein, politischem Willen oder psychologischer Analyse so weit als nur möglich entfernt ist. Hierher gehört auch die schwermütig-liebevolle Versenkung in Pfitzners « Palestrina », dieses Spätwerk « aus der schopenhauerisch-wagnerischen, der romantischen Sphäre », [24] mit seiner Verklärung des Vergangenen und seiner den Dichter des

«Zauberbergs» so urverwandt berührenden «Sympathie mit dem Tode». «Sympathie mit dem Tode», mit wahrer Begier greift Thomas Mann «diese Formel und Grundbestimmung der Romantik» auf,[25] als Pfitzner sie fast beiläufig in einer Unterhaltung als Charakteristik seines musikalischen Werkes äußert. «Sympathie mit dem Tode» mag der geheime Bezug sein, der ihn zu Kleist zieht. Denn wie die anderen dient auch Kleist ihm hier als ein Mittel autobiographischer Spiegelung, als Beistand zur Deutung eigenen Seins. Auf Kleist beruft sich Thomas Mann, um seinen «Patriotismus» zu rechtfertigen, wobei überdies die Tatsache, daß Patriotismus gerechtfertigt werden muß, als ein besonders deutscher Zug in Erscheinung tritt. Indessen, wenn Thomas Mann, im Hinblick auf den eigenen Fall, die Frage aufwirft, wie er, ein «Chronist und Erläuterer der Décadence, Liebhaber des Pathologischen und des Todes, ein Aesthet mit der Tendenz zum Abgrund», zum «patriotischen Enthusiasmus» komme, so ist auch dies nicht nur eine rhetorische Frage. Er beantwortet sie mit der Beschwörung Kleists, «mit der Berufung auf einen Großen, der tief krank war von Anbeginn, ,hypochondrisch', Goethen ein Aergernis. Und der doch, als Deutschland in Not war, die Donnerworte fand von der ,Gemeinschaft', die nur mit Blut, *vor dem die Sonne verdunkelt,* zu Grabe gebracht werden solle.»[26] Goethes großer Antipode Kleist steht dem Geiste dieser Betrachtungen zweifellos näher als der große «Gewaltlose und Friedensmensch»; und an anderer Stelle, in seinem Aufsatz über Kleists «Amphitryon», der vielleicht eindringlichsten, liebevollsten und tiefsten Analyse eines Kunstwerkes, die Thomas Mann je geschrieben hat, hebt er es auch ausdrücklich hervor, daß er «die grausame Kälte seiner geliebten Majestät gegen Kleist»[27] nie habe verstehen oder gutheißen können. Und doch ist auch in den «Betrachtungen eines Unpolitischen» viel von Goethe die Rede. Nicht daß Thomas Mann in diesem Buche irgendeinen Versuch machte, ein umfassendes Porträt Goethes zu zeichnen, nicht daß er eins seiner Werke ausdeutete, wie es mit dem «Taugenichts» geschieht oder dem «Palestrina»; nur gelegentlich, wenn auch keineswegs beiläufig, spricht Thomas Mann von Goethe; immer dann nämlich, wenn es gilt, seiner These Gewicht, seinem Angriff Nachdruck, seiner Verteidigung Rückhalt zu verleihen. Weniger ein Standbild, das er bewundernd errichtet, als ein Arsenal, aus dem er Waffen holt, ist Goethe hier für Thomas Mann. Im Kampfe stehend gegen den Geist der französischen Revolution und seine Auswirkungen stärkt sich Thomas Mann mit der Feststellung, daß auch Goethe die französische Revolution nicht liebte. Er erwähnt Goethes Wort, daß dies Erlebnis seine produktiven Kräfte auf Jahre gelähmt habe,[28] und er tröstet sich mit dem Gedanken, wie so schwere Mühe Goethe hatte, mit dem Neuen fertig zu werden.[29] Der antidemokratische, der unpolitische Goethe ist es, den Thomas Mann in den «Betrachtungen» vorzugsweise zu Wort kommen läßt. Der Goethe also etwa, der die Hände auf dem Rücken in seinem Zimmerchen umhergeht und zu dem lauschenden Famulus spricht: «Ich weiß recht gut, daß so sauer ich es mir auch mein lebelang habe werden lassen, all mein Wirken in den Augen gewisser Leute für nichts geachtet wird, eben weil ich verschmäht habe, mich in politische Parteiungen zu mengen.»[30] Er erinnert an Goethes Wort über Uhland, wo er der Sorge Ausdruck gibt, der Politiker in Uhland werde den Dichter aufzehren; er hebt Goethes Ablehnung eines dramatischen Tagesproduktes hervor, dessen Idee sich nur um Aristokratie und Demokratie drehe und deshalb kein allgemein menschliches Interesse habe. «So sprach ein antipolitischer Künstler,» setzt Thomas Mann, nicht ohne Genugtuung, hinzu.[31] «Freiheit und Gleichheit können nur im Taumel des Wahnsinns genossen werden»: Worte der Absage an die revolutionären Modeworte der Zeit, die Thomas Mann aus dem Lager des «Zivilisationsliteraten» herüberschallen hört, klingen auf; sie stammen aus der «Italienischen Reise».[32]

Alle diese Aeußerungen sind im Lichte von 1914 gesehen und werden durchaus polemisch gehandhabt; ob es sich nun um Kleists Aufsatz «Was gilt es in diesem Kriege?» handelt, der

«Wort für Wort» statt vor hundert Jahren, vor zweien könnte geschrieben sein,[33] oder um den zukünftigen «Tag des Ruhmes», den Goethe 1813 im Gespräch mit Luden der Nation verkündigt.[34] Zwar kann im Falle Goethes unmöglich von «Patriotismus» im Kleistschen Sinne die Rede sein — in «Goethe und Tolstoi» wird auch ausdrücklich Goethes «patriotisch anstößiges Verhalten zur Zeit des Befreiungskrieges» zur Sprache gebracht»; «unpatriotisch» habe Goethe erklärt, sagt Thomas Mann, «er könne die Franzosen nicht hassen; zuviel verdanke er ihnen von seiner Bildung,»[35] —, nicht Patriotismus also nimmt Thomas Mann für Goethe in Anspruch, wohl aber etwas anderes, Wichtigeres: Deutschtum. Die schlagendste Formulierung für Goethes Haltung hat Thomas Mann zwar erst später gefunden, in seinem großen Aufsatz «Goethe als Repräsentant des bürgerlichen Zeitalters», indem er Goethe als einen «kerndeutschen Unpatrioten» bezeichnet und ihn Schiller, dem «internationalen Patrioten», gegenüberstellt[36] — verdichtete Formeln, die in ihrer paradoxen Kühnheit, ihrer synthetischen Polarität für den Geist Goethes wie Thomas Manns gleich bezeichnend sind —; die Konzeption selbst jedoch ist in den «Betrachtungen eines Unpolitischen» schon durchaus vorhanden.

Dieser «deutsche» Goethe ist also etwa ein Goethe, der nicht ohne Bewunderung von Friedrich dem Großen gesagt hat, daß durch seine Taten «der erste wahre und höhere eigentliche Lebensgehalt in die deutsche Poesie gekommen» sei;[37] und dies ist nicht zuletzt auch deshalb für Thomas Mann von Bedeutung, weil er sich ja selbst eingehend mit Friedrich beschäftigt hat, in jener Schrift nämlich über «Friedrich und die große Koalition», die zu Beginn des Krieges erschien, und die durch ihren herausfordernden Parallelismus zwischen der Lage Deutschlands und der des Preußenkönigs so großes Aufsehen erregte. Dieser deutsche Goethe ist weiter ein Goethe, der den vielzitierten Satz gesprochen hat, daß Kunst und Wissenschaft ... das stolze Bewußtsein nicht ersetze, einem großen, starken, geachteten und gefürchteten Volke anzugehören («er sagte brutalerweise ‚gefürchteten',» setzt Thomas Mann unterstreichend hinzu) ;[38] es ist ein Goethe, den Thomas Mann in eine Linie mit Luther und mit Bismarck gestellt hat. Man mag über «die Verwandtschaft und Zusammengehörigkeit»[39] von Goethe und Bismarck erstaunt sein; Thomas Mann hat sie, mit Nachdruck, mehr als einmal verfochten. «Bismärckische Züge», und zwar «mehr als die Weimar- und Potsdam-Antithetiker wahr haben wollen», sieht Thomas Mann in Sätzen wie dem folgenden, zu Eckermann gesprochenen: «Während die Deutschen sich mit Auflösung philosophischer Probleme quälen, lachen uns die Engländer mit ihrem großen praktischen Verstande aus und gewinnen die Welt,» worauf Goethe noch Bemerkungen über die Praktiken der Engländer im Sklavenhandel folgen läßt.[40] Weit entfernt davon, Goethe gegen Bismarck auszuspielen, wie es so oft geschieht, findet es Thomas Mann im Gegenteil «einfältig, den Einen im Andern nicht wiederzuerkennen»; er sieht in Bismarck einen «gewaltigen Ausdruck deutschen Wesens, einen zweiten Luther»;[41] und beide, Goethe und Bismarck, sind ihm «gewaltige Ausprägungen — Ausbrüche vielmehr — des verfluchten, renitenten, literaturfeindlichen Deutschtums.»[42]

Thomas Mann ist in «Goethe und Tolstoi» auf diese Gedanken zurückgekommen, ja hat sie noch verschärft. Er spricht dort von Goethes Realismus, seinem Mangel an ideellem Schwung, von der Sinnlichkeit seines Wesens, und findet das alles, «offen gestanden und humoristisch gesprochen, immer nur drei Schritt vom Brutalen entfernt». «Es ist in ihm ein Sinn für Macht, für den Kampf. Er ‚braucht den Zorn',» sagt Thomas Mann weiter von Goethe, und «christliche Friedensliebe ist das nicht,» setzt er hinzu, «— wenn es auch lutherisch ist und bismärckisch dazu.»[43] Und in «Goethes Laufbahn als Schriftsteller» hebt er noch einmal die «mächtige und kernige, die lutherische Deutschheit Goethes» hervor.[44]

Ueber eines muß man sich freilich bei alledem klar sein: wenn Thomas Mann von Goethes «Deutschheit» spricht, so bedeutet

«Deutschheit» Wesen, Ursprung, Substanz, Natur, nicht aber Absicht, Ziel, Tendenz und Streben. An dieser sehr notwendigen Unterscheidung hat Thomas Mann von den «Betrachtungen» bis zu den späten Goethe-Essays festgehalten; er spricht von Goethes skeptischem, unbegeistertem Verhalten in Zeiten nationaler Aufregung,[45] von seiner eigensinnigen und kalt — ablehnenden Haltung gegen die nationale Tendenz;[46] er führt, nicht nur einmal, das «krasse Wort» Goethes an, «daß die Einäscherung eines Bauernhofes ein wirkliches Unglück und eine Katastrophe, der ‚Untergang des Vaterlandes‘ aber eine Phrase sei.»[47] Worauf es Goethe — und Thomas Mann — ankommt, wird besonders deutlich aus der Antwort, die Goethe Eckermann gibt, als dieser bemerkt, «wie doch die großen kriegerischen Ereignisse der jüngsten Zeit eigentlich viel Geist hätten aufregen müssen». Goethe weist das zurück: «Mehr *Wollen* haben sie aufgeregt, als Geist,» sagt er, «und mehr *politischen* Geist als künstlerischen, und alle Naivität und Sinnlichkeit ist dagegen gänzlich verlorengegangen.»[48] Man kann diesen Ausspruch Goethes als eine der wichtigsten Stützen für die Grundthese der «Betrachtungen eines Unpolitischen» betrachten; denn den verderblichen Einfluß des politischen Geistes auf die Dinge der Kunst, Kultur und Bildung zu erweisen, bietet Thomas Mann all seinen Scharfsinn auf; Kunst, Kultur und Bildung lebendig zu erhalten ist sein leidenschaftliches Bemühen. «Entfaltung, Entwicklung, Besonderheit, Mannigfaltigkeit, Reichtum an Individualität» sind ihm Werte, die er der Uebermächtigung durch den zentralisierenden politischen Geist entgegenstellt; in ihnen sieht er «das Grundgesetz deutschen Lebens».[49] «Frei und ungleich» nennt er den Deutschen; und diese Art von Freiheit liegt ihm am Herzen, eine Freiheit, die Recht und Eigenart und Besonderheit in sich schließt, die Freiheit des Individualismus, während er jene «Freiheit», die er mit der «Gleichheit» verkoppelt sieht, aufs heftigste bekämpft. Diese Freiheit des Individualismus ist die protestantische Freiheit, die sich im «Goetz» etwa verkörpert oder im «Faust»; und in diesem

Sinne verfehlt Thomas Mann nicht, anzumerken, wie entzückt sich Goethe zeigte, als er bei Guizot den Satz gelesen hatte: «Die Germanen brachten uns die Idee der persönlichen Freiheit, welche diesem Volke vor allem eigen war.»[50] Und auch in diesem Zusammenhang hebt Thomas Mann noch einmal den Zusammenhang zwischen Luther und Goethe hervor: Goethe bedeutet für ihn, nach Luther, «eine neue Bestätigung der Legitimität des Einzelwesens, das große künstlerische Erlebnis Deutschlands, nach dem metaphysisch-religiösen, das Luther gebracht hatte: ein Erlebnis der Bildung und der Sinnlichkeit...»[51]

«*Bildung*»: in diesem Goetheschen Gedanken begreift Thomas Mann mehr und mehr den innersten Kern und die ewige Aufgabe allen Deutschtums; Bildung ist ihm ein «spezifisch deutscher Begriff», ein «erzieherisches Prinzip»;[52] er setzt den Bildungsgedanken in Beziehung zum Sozialen als Lebensform deutscher *Bürgerlichkeit* und zum Ethischen als das bestimmende Element deutscher *Humanität,* und wenn Thomas Mann sich einen «Konservativen» nennt, so besteht seine konservative Gesinnung in nichts anderem als dem Bestreben, die bürgerlich-humane, die pädagogisch-individualistische Haltung der Goethezeit für Deutschland zu retten. Dies hält er für wünschbar; für aussichtsreich hält er es freilich nicht. Wenn Thomas Mann von seinem Konservatismus spricht, spricht er von «bedrängtem Konservatismus»,[53] von einem erhaltenden Willen, «der sich in der Verteidigung befindet, und zwar in einer, wie er genau weiß, aussichtslosen Verteidigung».[54] «Was zum Beispiel die Demokratie in Deutschland betrifft,» sagt Thomas Mann an einer anderen Stelle seiner großen Polemik gegen die Demokratie, «so glaube ich durchaus an ihre Verwirklichung: *darin eben besteht mein Pessimismus.* Denn die Demokratie ist es und nicht ihre Verwirklichung, an die ich nicht glaube.»[55] «Ja, wir werden sie haben, die Demokratie» ruft er erbittert und zu wiederholten Malen aus.[56] Immer wieder bricht auf den Seiten dieses Kampfbuches das Gefühl Thomas

Manns durch, auf verlorenem Posten zu stehen; dieser mangelnde Glaube — nicht an die eigene Sache, aber an den Sieg der eigenen Sache mag die werbende Kraft dieser Streitschrift, ihre Wirksamkeit als politisches Instrument verringert haben; die Treue zur eigenen Person, zum eigenen Gesetz, die durch Erfolg oder Mißerfolg nicht bestätigt und nicht widerlegt werden kann, bedingt andererseits den lyrischen Unterton dieses Gedankenbuches, sie gibt ihm seine Bedeutung als den eines tapferen und verantwortungsvollen dichterischen Selbstbekenntnisses.

In diesem Sinne gesehen sind die «Betrachtungen eines Unpolitischen» in der Tat, was sie Thomas Mann später selbst genannt hat: «ein Rückzugsgefecht großen Stils — das letzte und späteste einer deutsch-romantischen Bürgerlichkeit.»[57] Und was Goethe und die deutsche Bildung anbelangt, so hat Thomas Mann auch in dieser Hinsicht mit seinem «Pessimismus» nicht zurückgehalten: 1920, in einem kleinen Aufsatz «Erziehung zur Sprache» heißt es, durchaus resignierend: «Die Zukunft gehört nicht der ‚Bildung‘, der Kultur, der Innerlichkeit, der ‚schönen Seele‘ . . . An die Bedeutung des Symbols ‚Weimar‘ für die Zukunft zu glauben, ist schwer.»[58] Dies schreibt Thomas Mann genau ein Jahr, ehe er seine grundlegende Rede über «Goethe und Tolstoi» hält, die erste größere Arbeit, die Zeugnis ablegt von neuer, eindringenderer Beschäftigung mit Goethe. Denn Thomas Manns Annäherung an Goethe beginnt erst. Es beginnt gleichzeitig, unter dem Eindruck einer veränderten Wirklichkeit, im Vorgefühl kommender Entwicklungen, eine Revision früherer Begriffe, erneute Auseinandersetzung mit dem Wesen der Demokratie, mit dem Begriff des Politischen und mit der Bestimmung des Deutschtums.

VII

HUMANITÄT

Eines der wesentlichsten Merkmale, die in der Kunst große Geister von kleinen unterscheiden, ist das der inneren Einheit. Beim bedeutenden Künstler hängt alles mit allem zusammen, und so ist es nur tief natürlich, daß dieselbe Wendung von der «Sympathie mit dem Tode» zur «Lebensfreundlichkeit», die sich in Hans Castorp vollzieht, und für die in des Dichters eigener Entwicklung die Annäherung an Goethe zum bezeichnenden Symbol geworden ist, daß diese selbe Wendung auch in seiner Stellung zu Staat, Volk, Nation and Politik sichtbar wird, and daß auch sie im Zeichen Goethes geschieht.

Die «Betrachtungen» waren ein romantisches Buch gewesen. Thomas Manns Wendung aber ist eine Abwendung vom, oder besser eine Ueberwindung des Romantischen. Sie ist zugleich eine Selbstüberwindung; eine Selbstüberwindung, deren Muster für Thomas Mann Nietzsche darstellt, der «große Selbstüberwinder» wie er ihn nennt, der «Lehrer der Ueberwindung all dessen in uns, was dem Leben und der Zukunft entgegensteht, das heißt, des Romantischen. Denn das Romantische ist das Lied des Heimwehs nach dem Vergangenen, das Zauberbild des Todes».[1] Dies «Heimweh nach dem Vergangenen» verleugnet Thomas Mann nicht; es ist ein legitimer Bestandteil seines Wesens, seines «vielleicht romantisch-todverbundenen Wesens», von dem er den «ethisch-willentlich» dem Leben zugewandten Sinn unterscheidet.[2] Worauf es ankommt, ist, dem Todestrieb, der Todeslust keine Vorherrschaft einzuräumen, sie der Idee des Lebens einzuordnen. Sehr klar hat Thomas Mann dies Problem in einer im Jahre 1924 in Amsterdam gehaltenen Tischrede gefaßt, in ein paar Sätzen, die als Grundlinie seiner Entwicklung vom romantischen Konservatismus zur demokratischen Humanität gelten können. «*Im Herzen,*» heißt es da, «im Herzen dem Tode, der Vergangenheit fromm verbunden, sollen wir den Tod nicht Herr sein lassen über unseren *Kopf,* unsere *Gedanken.* Dem Pathos der *Frömmigkeit* muß dasjenige der *Freiheit* gegenüberstehen, dem aristokratischen Todesprinzip das demokratische Prinzip des Lebens und der Zukunft die Waage halten, damit das allein und endgültig Vornehme, damit *Humanität* entstehe.»

«Ja, es ist sogar der europäische Augenblick gekommen,» fährt er fort, «wo eine bewußte Ueberbetonung der demokratischen Lebensidee vor dem aristokratischen Todesprinzip zur vitalen Notwendigkeit geworden ist. Man spricht heute viel über eine zu erhoffende seelische Gesundung Europas. Was aber ist denn das, seelische Gesundung? Es ist die ideelle und grundsätzliche Wendung vom Tode weg zum Leben. Die aber ist schwer und tut weh; denn Europa ist ein romantisches Land; es krankt an Vergangenheit, an einem lebensgefährlichen Zuviel von historischer Frömmigkeit, aristokratischer Todesverbundenheit, die es bezwingen muß, wenn anders es sich nicht zu vornehm für das Leben dünkt and zu sterben entschlossen ist.»[3]

Man mag sich wundern, Thomas Mann den «Fürsprech der Demokratie»[4] machen zu sehen, nachdem er zuvor in ihr den Erzfeind deutschen Wesens gesehen hatte. Man darf jedoch dabei nicht übersehen, daß Thomas Mann sich in einem, in dem entscheidenden Punkte, völlig treu geblieben war. Die große Gefahr, von der er seine Idee eines kulturellen Deutschtums bedroht gesehen hatte und von der zu warnen er sein Buch geschrieben hatte, war die Gefahr der Vorherrschaft des Politischen gewesen, die Ueberwältigung des Individuellen durch das Kollektive, der Totalitätsanspruch des Staates. Was sich nun zeigte, war, daß die Uebermächtigung durch das Politische, seine Erhebung ins Absolute, von einer ganz anderen Richtung her erfolgte, als Thomas Mann sie erwartet hatte, und daß andererseits die «Demokratie», als Deutschland sie bekam, sich in praxi um vieles «kulturfreundlicher» zeigte als zu vermuten gewesen war. Thomas Mann blieb sich selbst im tiefsten treu, als er den Kampf gegen den Hauptfeind, vor dem ein hellsich-

tiger Instinkt ihn so früh gewarnt hatte, mit verstärktem In-
grimm aufnahm, und als er «in bewußter Selbstkorrektur für
gewisse Notwendigkeiten sich einsetzte»,[5] das heißt, seinen
Frieden mit der Demokratie machte, die überdies nicht ganz
die selbe sein mochte, als die sie in den «Betrachtungen» erschienen war.

Abgesehen davon, war Thomas Mann immer noch ein «Konservativer». Ausdrücklich bezeichnet er sich so in der pro-
grammatischen Rede «Von Deutscher Republik», die seine
erste grundsätzliche Auseinandersetzung mit der neuen demokratischen Wirklichkeit bedeutet; immer noch hält er seine
natürliche Aufgabe für eine Aufgabe «erhaltender Art»,[6] eine
Aufgabe, die die Zeit überdies nur immer dringender und verpflichtender gestaltet; und so heißt es ein paar Jahre später,
in einem «Neujahrswunsch an die Menschheit», der eine Antwort auf die Rundfrage einer schwedischen Zeitung darstellte:
«Es gibt heute nur *einen* Konservatismus, der seinen Namen
verdient. Es ist derjenige, der unsere Zivilisation vor dem
Untergang zu bewahren, sie zu ‚erhalten' wünscht gegen Katastrophen, die ihr drohen und die ihrer Vernichtung gleich-
kommen würden.»[7]

Bei alledem handelt es sich jedoch für Thomas Mann nicht
etwa darum, einen vergangenen Zustand festzuhalten; er ist
sich durchaus bewußt, daß «eine Epoche sich endigt: die
bürgerlich-humanistisch-liberale, die, in der Renaissance geboren, mit der französischen Revolution zur Macht gelangte und
deren letzten Zügen und Zuckungen wir anwohnen».[8] Wenn
Thomas Mann sich konservativ nennt, so heißt das nicht, daß
er sich damit in den Dienst des Vergangenen stellen will: was
seinen Konservatismus bestimmt, ist vielmehr, und das ist entscheidend, der Wille zur Zukunft.[9] Was die Vergangenheit
betrifft, so gilt seine Sorge durchaus nicht ihrer Erhaltung an
sich, sondern der «Bewahrung jenes Stockes und Kernes, an
den das Neue anschießen und um den es in schönen Formen
sich bilden könne,» wie er es im Anschluß an einen Aphorismus

des Novalis einmal ausdrückt.[10] Man kann dies Goetheschen Konservatismus nennen, in dem Sinne, in dem Goethe erklärt hat, daß er ein für allemal am Bestehenden festhalte, mit dem charakteristischen Zusatz freilich, daß er an dessen Verbesserung, Belebung und Richtung zum Sinnigen, Verständigen sein Leben lang bewußt und unbewußt gewirkt habe.[11]

Unübertrefflich klar und vorbildlich aber ist Goethes Stellung in einem anderen Wort ausgedrückt, das Thomas Mann programmatisch ausführt, und das in der Tat als Schlüsselwort für sein eigenes Bemühen dienen kann: «Es gibt kein Vergangenes, das man zurücksehnen dürfte,» sagt Goethe, «es gibt nur ein Neues, das sich aus den erweiterten Elementen des Vergangenen gestaltet, und die echte Sehnsucht muß stets produktiv sein, ein neues besseres zu erschaffen.»[12] Worauf es Thomas Mann also ankommt, ist eine Gesinnung, die Neigung zur Vergangenheit mit dem Willen zur Zukunft verbindet. Diese Neigung zur Vergangenheit nennt er «konservativ», der Wille zur Zukunft aber heißt ihm «revolutionär».[13] Somit ergibt sich als besondere Bestimmung dieses Konservatismus die Formel «revolutionärer Konservatismus» oder «konservative Revolution». Man sieht, Thomas Manns Wille zur Synthese gebraucht nun auch auf dem Gebiet des Staatlichen, Gesellschaftlichen, Politischen eine jener so charakteristischen Formeln, in denen sich sein Bestreben ausdrückt, entgegengesetzte Pole zu einer Einheit zusammenzufassen. Und so versucht er, im Anschluß an das eben zitierte Goethewort, antithetisch zu umschreiben, was ihm vorschwebt, und jene paradoxe Einheit zu erreichen, die sich nur bezeichnen läßt durch die Polarität der Extreme: «Das Neue,» sagt er, «das sich aus den erweiterten Elementen des Vergangenen gestaltet; es ist immer überlieferungsbewußt und zukunftwillig; aristokratisch und revolutionär in Einem; es ist seinem Wesen nach...: konservative Revolution.»[14]

Die Bemühung, dieses Neue zu gestalten, ist also ebenso konservativ wie revolutionär. «Sie ist konservativ, insofern sie etwas bewahren will, was bisher die Würde des Menschen ausgemacht hat: die Idee eines überpersönlichen, überparteilichen, übervölkischen Maßes und Wertes … Sie ist aber revolutionär, da sie dieses Maß selbst aus keinerlei Vergangenheit ungeprüft übernehmen will, sondern es an den heutigen Bedingungen und Erfahrungen mit größter Wahrhaftigkeit zu erproben, aus der gegenwärtigen Situation neu zu gewinnen unternimmt.»[15]

Was Thomas Mann hier die Vereinigung des Konservativen und des Revolutionären nennt, ist nichts anderes, als was an anderer Stelle die Verbindung des Nationalen und des Staatlichen oder des Kulturellen und des Politischen heißt. Die — notwendige und sinnvolle — Scheidung des Kulturellen und Politischen war eines der Hauptpostulate der «Betrachtungen eines Unpolitischen» gewesen. Noch 1932 spricht Thomas Mann, mit dem Blick auf dieses Buch, von seinem «Kulturentsetzen vor der heraufkommenden Politisierung» und bringt es in bedeutsame Parallele zu Goethes «Grauen vor der Revolution», das auch ein Grauen vor der Politisierung gewesen sei.[16] Noch im selben Jahre 1932 vertritt er die «tiefe Berechtigung» von Goethes Auffassung der Deutschen als eines geistigen, unpolitischen, dem rein Menschlichen zugewandten Volkes,[17] wobei höchstens die eine Frage schwer zu entscheiden ist, «wie weit der innermenschliche, kulturelle, antipolitische Charakter dem deutschen Bürgertum durch Goethe aufgeprägt worden ist, und wie weit Goethe für seine Person schon eben damit ein Ausdruck deutscher Bürgerlichkeit war.»[18] Ein paar Jahre später aber wird es als ein «Wahn» bezeichnet, daß man ein unpolitischer Kulturmensch sein könne, als ein Wahn, aus dem viel deutsches Unheil gekommen sei,[19] ja, der «Deutschlands Elend verschuldet» habe, wie es noch schärfer anklagend im Aufsatz über Richard Wagner heißt. Selbstverständlich, sagt Thomas Mann an dieser Stelle, sei Wagner sich der Untrennbarkeit von Geist und Politik bewußt gewesen, ausdrücklich spricht er ihn von der «bürgerlich-deutschen Selbsttäuschung» frei, man könne ein unpolitischer Kulturmensch sein.[20]

Und doch war auch Wagner seinerzeit, in den «Betrachtun-

gen eines Unpolitischen» einer von Thomas Manns Eideshelfern
im Unpolitischen gewesen, «deutsch-bürgerlich» auch er, und
zwar gerade in seinem «Haß auf die Politik». «Ein politischer
Mann ist widerlich,» hatte Wagner an Liszt geschrieben und
Thomas Mann hatte es zustimmend zitiert.[21] Trotzdem wäre es
falsch, in diesen beiden Aeußerungen, in der Behauptung einer-
seits, ein politischer Mann sei widerlich, und der Einsicht andererseits, man könne nicht unpolitisch sein, einen unauflös-
baren Widerspruch zu sehen. Zwar hat Thomas Mann in der
Tat seine frühere «unpolitische» Haltung widerrufen; er hat
den Gedanken, die Politik einfach negieren zu können, als eine
Illusion erkannt. Zu klar ist ihm geworden, einmal, daß das
Politisch-Soziale das beherrschende Element der Epoche geworden ist,[22] daß man ihm also nicht entgehen kann, und daß,
zweitens, «in jeder geistigen, kulturellen Haltung — bewußt
oder unbewußt — eine politische latent ist».[23]

Nunmehr erkennt Thomas Mann, daß eine solche Scheidung
des nationalen (d. h. kulturellen) und des staatlichen Lebens,
wie sie sich in Deutschland hergestellt hatte, in dieser Schärfe
und Vollständigkeit «niemals statthaft sein kann und sich an
beiden Teilen rächen muß»;[24] er erkennt «die Fremdheit zwischen deutschem Staat und deutscher Kultur» als «tragisch»,
und Goethes «eisige Vereinsamung zur Zeit der Freiheits-
kriege» ist ihm ein Beispiel solcher Tragik, nicht anders wie
Nietzsches «Vermaledeiung des Reiches» und Georges «bit-
teres und unerbittliches ‚Nein' zum Deutschland von heute».[25]
Was vormals in den «Betrachtungen» als Vorzug bewertet worden war, daß die deutsche Humanität der Politisierung von
Grund aus widerstrebte, daß dem deutschen Bildungsbegriff das
politische Element fehle, wird nunmehr als Schuld erkannt und
beklagt, als eine Schuld freilich, die im Grunde nur ein «Ver-
säumnis» ist, ein «Vergehen gegen die Ganzheit des Mensch-
heitlichen», während die «groteske Fehlkorrektur», die sie er-
setzt hat, das Hineinzwängen nämlich alles Menschlichen ins
Politische ein «Verbrechen» ist.[26] «Muß immer der Deutsche

von einem Extrem ins andere fallen?» ruft er verzweifelt aus, und gegenüber einer Gesinnung, die das Politische, Staatliche «totalisiert», das heißt, ihm alle anderen menschlichen Werte unterordnet, macht er jene «wahre Totalität» geltend, welche die Humanität selber ist.[27] Denn das Politisch-Soziale ist nichts als ein Teilgebiet des Gesamtmenschlichen und ihm eingeordnet; wenn es sich selbständig macht, entsteht die Barbarei. Nichts anderes bedeutet es jedenfalls, wenn Thomas Mann den «in einigen Punkten etwas fatalen Nietzsche» in geistreich anachronistischer Weise durch Novalis kritisieren läßt: «Das Ideal der Sittlichkeit hat keinen gefährlicheren Nebenbuhler als das Ideal der höchsten Stärke . . . Es ist das Maximum des Barbaren.»[28] Auf menschliche *Ganzheit* kommt es also an; und dies ist es, was Thomas Mann unter Humanität versteht. Dies Wort knüpft an die Terminologie der deutschen Klassik an; es steht in ihrer Tradition; nicht Funktion soll der Mensch sein, sondern Selbstzweck. Darin liegt seine humane Würde.

Der Umfang solches menschlichen Bereiches wird freilich dem klassischen Ideal gegenüber stark ausgeweitet. Klassische Humanität war ausschließende, abgrenzende, beschränkende, entsagende Humanität gewesen; Thomas Manns ganze Entwicklung ist von dem Streben getragen, den Umkreis menschlicher Möglichkeiten, die sich in einer Einheit noch zusammenschließen lassen, so weit als möglich zu fassen. Hatte Goethe das Klassische als das Gesunde von dem Romantischen als dem Kranken getrennt, so bemüht sich Thomas Mann, solche Grenzen aufzuheben, ohne doch die Gestalt zu zerstören. Man kann vielleicht sagen, daß er nach zwei Richtungen hin den Umfang des humanen Ideals der Klassik gegenüber erweitert hat: durch die Einbeziehung des Todes und des Politischen. Das erste hatte schon der frühere Thomas Mann getan; es war romantisch gewesen, es hatte unter anderem den «Zauberberg» zu einem romantischen Buch gemacht;[29] das zweite ist ausgedrückt durch seine bewußte Wendung zur Demokratie. Wenn Thomas Mann also einmal davon spricht, man müsse «die Demokratie, die Republik in Beziehung setzen zur deutschen Romantik»,[30] so ist dies tief folgerichtig und umschreibt wirklich den ideengeschichtlichen Umkreis seiner Auffassung der Humanität. Er geht nun so weit, die Idee der Demokratie so mit Inhalt zu erfüllen, daß sie ihm mit der Humanität schlechthin identisch wird. «Es kam der Tag,» erklärt er, ... «da ich in einem offenen Brief über Whitmann ... die Einerleiheit von Humanität und Demokratie proklamierte; da ich feststellte, das erste sei nur ein klassizistisch altmodischer Name für das zweite, und nicht Anstand nahm, den göttlichen Namen von Weimar in einem Atem zu nennen mit dem des Donnerers von Manhattan...»

In diesem Gedanken der Humanität sieht Thomas Mann die eigentliche deutsche Sendung und Aufgabe; und verkörpert findet er sie in der Gestalt Goethes. Denn niemand wie Goethe in der ganzen deutschen Geschichte hat denselben Reichtum an Natur besessen, dieselbe Fähigkeit, entgegengesetzte Kräfte in organischer Entwicklung und Steigerung durchzuleben, entgegengesetzte Erfahrungen sich einzuverleiben, entgegengesetzte Erlebnisse zu gestalten. Goethe auf Luthers Deutschtum allein zu begründen, genügt nun längst nicht mehr. Thomas Mann wirft einmal, in «Goethe und Tolstoi» die Frage auf, wie Goethe sich wohl im 16. Jahrhundert verhalten hätte, und er gibt die überraschende Antwort, er wäre für Rom, gegen die Reformation gewesen, oder er hätte zum mindesten eine so zweideutige und unzuverlässige Stellung eingenommen wie Erasmus. Diese mutmaßliche Haltung Goethes leitet er aus dem bekannten Distichon ab, das «Franztum» und «Luthertum» in eine Linie stellt: «Franztum drängt in unseren verworrenen Tagen, wie einstmals Luthertum es getan, ruhige Bildung zurück.»[31] Als Mann der «ruhigen Bildung», als Freund des Wachstums, als Feind des gewaltsamen Umsturzes, der Unordnung und Zerstörung hatte Goethe sich der französischen Revolution entgegengestellt. Daß er, aus demselben Grundgefühl heraus, sich der Reformation gegenüber ähnlich verhalten hätte, ist wohl vorstellbar. Man braucht nur an Goethes so ganz unlutherische, so tiefe und innige Beziehung zum Griechisch-Antiken und zur Renaissance zu denken, etwa daran zu erinnern, daß er den Benvenuto Cellini übersetzt hat, daß er dichterisch spielend im «Tasso» den Weimarer Hof verwechselt mit dem Renaissancehof von Ferrara, man mag weiter an seine antikisierenden Versepen denken, an die «Achilleis», an «Hermann und Dorothea», das er, nach eigenem Geständnis, am liebsten in lateinischer Uebersetzung gelesen habe, und man wird, wie Thomas Mann es tut, Aehnlichkeit nicht nur mit Erasmus finden, sondern auch mit Lionardo, «dessen innere Umfänglichkeit, dessen Doppelseelentum aus Kunst und Wissenschaft der Natur er wiederholt.»[32] Man mag ferner für einen Augenblick das Bild «Goethe in Rom» dem anderen, «Luther in Rom» gegenüberstellen, um klar zu sehen, wie sehr das gleiche Erlebnis für Goethe Anverwandlung neuen Lebensstoffes bedeutet, glücklichen Ausgleich, für Luther aber einen Anlaß zum «Protest», Abstoßung fremden Stoffes und Rückbesinnung auf die eigene Natur. Freilich, wenn so Goethe Züge aufweist, die sich mit dem edel-bürgerlichen Quietismus, mit dem Geistesaristokratismus des Erasmus verwandtschaftlich berühren, so geht er deshalb seiner lutherischen Deutschheit, seiner mächtigen Volkheit doch nicht verlustig; er hat die Eigenschaften beider in sich, und so kommt auch Thomas Mann zuletzt zu dem Schluß, daß er die «Charaktere beider in sich vereinigt».[33]

Luther und Erasmus müssen hier durchaus als gestalthafte Symbole betrachtet werden, als zwei deutsche Möglichkeiten, deren Vereinigung in einer Person, in der Goethes, Thomas Mann eben als den einen großen Glücksfall der deutschen Geschichte betrachtet. Ganz dasselbe, nur abstrakt gewendet, bedeutet es, wenn Thomas Mann als die wesentliche Aufgabe Deutschlands die Vereinigung von Seele und Geist bezeichnet; und auch hier geschieht es wiederum unter ausdrücklicher Berufung auf Goethe. «Kultur,» sagt Thomas Mann, «... die Synthese von Seele und Geist ... war es, die dem majestätischen Künstlerweisen, den die Knaben nicht für abgesetzt erklären sollten, einzig am Herzen lag, und von seiner Liebe ist in uns allen.»[34] Seele und Geist, Genie und Vernunft, Luther und Erasmus, Romantik und Demokratie, das Nationale und das Kosmopolitische, es ist immer wieder dasselbe; und wenn Thomas Mann betont, daß Goethes gewaltige Natur beides umfaßt habe, «das Deutsche und das Mediterran-Klassische, das Volkhafte und das Europäische,» so ist er eben auch darin Vorbild einer ewigen deutschen Aufgabe, deren Lösung für Thomas Mann nicht in nationaler Einseitigkeit, nicht in patriotischem Fanatismus, sondern im Ausgleich, in der Versöhnung jener europäischen Gegensätze besteht, die mitten durchs deutsche Volk gehen.

In einem allerdings hat sich die geistesgeschichtliche Situation geändert: nicht mehr das nordisch-antikische Problem ist aktuell, sondern der Gegensatz zwischen Westen und Osten. Rund fünfzehn Jahre bevor Deutschland zum zweitenmal in einem Menschenalter *gegen* den Osten und den Westen zugleich im Kampfe stand, hat Thomas Mann in Warschau eine Rede gehalten, deren Thema die Ueberbrückung dieses Gegensatzes war. «Unsere Mitte,» heißt es in dieser Rede, «grenzt an den Osten sowie an den Westen, unsere Seelenlage hat teil an beiden Sphären.»[35] Ganz ohne Zweifel gilt dies von ihm selbst besonders. Und wenn in einem großen Essay Goethe und Schiller nicht Michelangelo und Dante gegenübergestellt werden, sondern Tolstoi und Dostojewski, so zeigt dies allein, wie sehr das geistige Kraftfeld in Europa sich im Verlauf von 150 Jahren verschoben hat. Unter dem «Spannungsdruck des geistigen und politischen Gegensatzes» dieser beiden Sphären wendet Thomas Mann sich nachdrücklich gegen «extreme und militante Alternativen», für ein «Letztes, ein endgültig Menschliches» plädierend. Ob es nun Norden und Süden heißt, oder Osten und Westen, eines steht unverrückbar für ihn fest: «Der Deutsche, zwischen die Extreme der Welt gestellt, kann selber kein Extremist sein.»[36]

Was dem «zwischen die pädagogischen Extreme gestellten

und ins tödliche Extreme hinauf verschlagenen» Hans Castorp als die «Idee der Mitte» aufgeht, dies wird zugleich Leit- und Wunschbild aller Deutschheit. Mitte, das Mittlere und Vermittelnde, Bürgerlichkeit, Deutschtum, Humanität werden für Thomas Mann Wechselbegriffe. Und wenn er den Ort einer solchen wahrhaft deutschen Humanität zu bestimmen sucht, eines Deutschtums, das weltbedürftig und weltbedeutend zugleich ist, so findet er ihn «zwischen ästhetizistischer Vereinzelung und würdelosem Untergang des Individuums im allgemeinen; zwischen Mystik und Ethik, Innerlichkeit und Staatlichkeit; zwischen todverbundener Verneinung des Ethischen, Bürgerlichen, des Wertes und einer nichts als wasserklar-ethischen Vernunftphilisterei» als deutsche Mitte, als das «Schön-Menschliche, wovon unsere Besten träumten».[37]

Innerlich teilzuhaben an tödlich verfeindeten Kräften und durch diesen Widerstreit nicht gelähmt, sondern gesteigert zu werden, diese deutsche Aufgabe ist schwer. Daß eine solche Synthese nicht ein bloßes Produkt des Verstandes ist, nichts nur Gedachtes, sondern gelebt werden kann und gelebt worden ist, daß sie eine höchste Möglichkeit deutschen Wesens darstellt, dafür ist das Beispiel Goethes der beste Beweis. «Einmal doch, in einem großen, begünstigten Augenblick,» sagt Thomas Mann, hat «das Deutschtum die ganze Welt zur Liebe, Bejahung, Bewunderung, zum vollen Verständnis hingerissen...: eben durch die Persönlichkeit Goethes in ihrer Mischung aus Größe und Urbanität, aus Naturhaftigkeit und höchster Gesittung, die freilich einmalig, aber doch als höchstes Wunschbild unseres Glückes uns vorschweben darf.»[38]

VIII

GRÖSSE

Die außerordentliche Bedeutung, die Goethe für Thomas Mann gewonnen hat, ist nicht im Aesthetischen begründet. Werke wie der «Werther» und der «Wilhelm Meister», die in der Tat eine Tradition gebildet haben, haben schwerlich direkt, sondern höchstens durch Zwischenglieder auf Thomas Mann Einfluß ausgeübt. Man mag den «Tonio Kröger» als einen späten Ausläufer des durch den «Werther» begründeten Weltschmerzromans betrachten: weder im Temperament noch in der Struktur, weder im Lyrismus noch in der Leidenschaft sind die beiden Werke wirklich vergleichbar. Am ehesten ließe sich der «Tonio Kröger» noch in die Nähe von Storms «Immensee» einreihen, in dem manches von der Substanz des «Werther» verdünnt und verfeinert wiederkehrt: die kühle Atmosphäre, der leise und behutsame Gang der Handlung, die Abneigung gegen Szenen und Ausbrüche, die fast selbstverständliche Haltung des Verzichts, der gedämpfte Ton, die Vorliebe für Unausgesprochenes, nur Angedeutetes, die durchgehende Lebensproblematik lassen «Immensee» und «Tonio Kröger» in der Tat verwandt erscheinen, auch wenn sie im Zauber der lyrischen Naturstimmung auf der einen Seite, der Meisterschaft dialektischer Formulierungskunst auf der anderen weit auseinandergehen.

Hält man weiter den «Zauberberg» und die Joseph-Romane mit dem «Wilhelm Meister» zusammen, so findet man zwar eine Uebereinstimmung in der Grundsituation;[1] aber diese Situation ist die Voraussetzung des deutschen Bildungsromans überhaupt; die Geschichte nämlich des jungen Mannes, der seine Bestimmung im Leben sucht, und diese Geschichte ist von Generation zu Generation in zahllosen Variationen wiedererzählt worden; aber weder Vorfälle noch Figuren, weder die besonderen Probleme noch ihre Lösungen geben irgendeine Möglichkeit, Thomas Manns Romane mit dem «Wilhelm Meister» im einzelnen in fruchtbare künstlerische Beziehung zu setzen. In Wahrheit war Thomas Manns epischer Stil längst ausgebildet, als er sich Goethe näherte, und nichts läßt darauf schließen, daß für die Entwicklung seiner Erzählungskunst Goethes Romane auch nur entfernt die Bedeutung besessen hätten, die der naturalistische Roman für ihn gehabt hat; also die Romane der Goncourts etwa oder Flaubert; gewisse nordische Familienromane, Jonas Lie zum Beispiel; dann Fontanes lockere Technik der Gesprächsführung und möglicherweise einige der großen Russen.

Was im Mittelpunkt von Thomas Manns Goethebetrachtung steht, ist der Mensch. Nicht Deutung und Analyse großer Kunstwerke ist Thomas Manns eigentliches Ziel, wo er von Goethe handelt, so tiefe Einsichten in dichterische Zusammenhänge dabei auch offenbar werden, sondern Deutung und Analyse eines großen Menschen.

Von Anfang an hat Thomas Mann sich bemüht, die seelische Gestalt Goethes zu umreißen, sein eigenlichstes Wesen zu deuten, und so wie wir im Suchen nach Erkenntnis durch Vergleichen und Kontrastieren menschliche Eigenart genauer zu erfassen streben, hat er Goethe neben Tolstoi gestellt, und tiefgehende Verwandtschaft ihrer Naturen entdeckt, und hat ihn Schiller gegenübergestellt, um am Gegensatz schärfer zu sehen. Er hat Goethe in seiner Umwelt gezeigt: in Haus und Wirkungskreis; in sozialer und nationaler Bestimmtheit: als Repräsentant des bürgerlichen Zeitalters, als Ausdruck höchsten deutschen Wesens; und hat bei alledem sich nicht darüber getäuscht, daß der Mensch im Grunde ein Geheimnis bleibt und die Persönlichkeit wie das Leben selbst unanalysierbar ist. Was der Geist dem Lebendigen gegenüber vermag, ist, Formeln zu finden, die ein Geheimnis *bezeichnen;* enträtseln kann er es nicht. Für diesen tiefen und ungenügsamen Liebhaber des Lebens mußte deshalb der Augenblick kommen, wo es ihm nicht mehr darum ging, seinen Gegenstand zu beschreiben, sondern darum, ihn zu gestalten; wo er als Künstler sich entschloß, die unendliche Aufgabe statt durch Benennung durch Formung zu bewältigen. So entstand «Lotte in Weimar».

«Daß ein großer Dichter vor allem *groß* ist und dann erst ein Dichter»[2] ist dabei vielleicht die Grunderkenntnis, unter die sich Thomas Mann gestellt hat, als er seinen Goethe-Roman schrieb. Die Fabel freilich, mit deren Hilfe er seine Anschauung von Goethes Größe zu verwirklichen unternimmt, mutet beim ersten Anblick seltsam, fast parodistisch an. Man könnte sie das Nachspiel einer großen Liebe nennen. Das Minimum an Handlung, das Thomas Manns Roman zu seinem Ablauf benötigt, besteht in einer Begegnung zwischen Goethe und Charlotte Kestner, dem Urbild der Lotte im «Werther». Aber nicht von den schwärmerischen, freundschaft- und leidenschafterfüllten Tagen der Wetzlarer Zeit ist die Rede, sondern von einem Wiedersehen zwischen Lotte und Goethe, das 1816 in Weimar stattgefunden hat. Goethe war damals 67 Jahre alt; Lotte vier Jahre jünger; 44 Jahre hatten sich die Liebenden nicht gesehen. Zwar waren seinerzeit auf jenen hingewühlten Abschiedsbrief: «Er ist fort, Kestner, wenn Sie diesen Zettel kriegen, er ist fort,» zunächst noch viele andere gefolgt, Versicherungen unwandelbarer Freundschaft, Bücher, Bilder, Geschenke; Goethe besorgte die Trauringe für Kestners, ein Negligé für die das erste Kind erwartende Lotte. Nur vorübergehend hatte sich das Verhältnis getrübt, als der «Werther» erschien, als Kestner im Albert des Romans ein «Zerrbild» seiner selbst erblicken mußte, beide ihre persönlichsten Verhältnisse öffentlich zur Schau gestellt fanden, und als sie langsam lernen mußten, daß, was ihr Leben als Klatsch und trübe Neugier umbrandete, die menschliche Seite eines Ruhmes war, mit dem sie am Geistesreich des großen Freundes teilhatten. «Haltet, ich bitt euch, haltet Stand,» schrieb Goethe. Dann, als Goethe nach Weimar übersiedelt, werden die Briefe seltener und «im Stil mitunter Geheimräthisch» wie Goethe selber findet;[3] doch wie ein Refrain kehrt in ihnen die Frage immer wieder: «Wann werden wir uns einmal wiedersehen?» Es kam zu keinem Wiedersehen; weiter und weiter trug das Leben die Freunde voneinander, einen jeden seine eigene Bahn: für den einen, in Weimar, war es Mühe und Arbeit, Glanz, Ruhm und wachsende Einsamkeit; für die beiden anderen, in Hannover, Mühe und Arbeit, die kleinen Freuden und großen Sorgen eines Haushalts mit zwölf Kindbetten und mäßigem Einkommen. Im Juli 1798 schreibt Goethe zum letzten Mal an Kestner, dann schläft der Briefwechsel ein; 1800 stirbt Kestner; 1803 schreibt Lotte noch einmal an Goethe und bittet ihn, sich für ihren Sohn Theodor zu verwenden, der Arzt geworden war, sich in Frankfurt niederlassen wollte und Empfehlungen brauchte. Goethe antwortet rasch und hilfsbereit. 1815 trifft Goethe bei Willemers auf der Gerbermühle zwei Söhne Lottes, eben jenen Theodor und August Kestner, den «römischen» Kestner, in dessen Armen 15 Jahre später Goethes Sohn sterben sollte. 1816 aber kam Lotte selbst mit ihrer Tochter Klara nach Weimar. Der Anlaß zu dieser Reise war ein lang geplanter Besuch bei ihrer Schwester Amalie, die mit dem Kammerrat Ridel verheiratet war. Ueber diesen Besuch Lottes in Weimar haben wir verschiedene Zeugnisse, die den historischen Kern von Thomas Manns Roman bilden. Das wichtigste unter diesen ist ein Brief Lottes an ihren Sohn August, dessen entscheidende Stelle lautet: «Ich habe eine neue Bekanntschaft von einem alten Mann gemacht, welcher, wenn ich nicht wüßte, daß es Goethe wäre und auch dennoch, hat er keinen angenehmen Eindruck auf mich gemacht.»[4] Ausführlicher, aber keineswegs freundlicher, hat sich Klara Kestner geäußert: «Wir fuhren zum Mittagessen zu Goethe,» schreibt sie an ihren Bruder, «und wurden unten an der Treppe von dem Sohn empfangen, im Vorsaal kam er selbst uns entgegen, doch treuer dem Bilde, was ich durch Dich von ihm hatte, als dem, was uns der gute Onkel Geheime Kammerrat Ridel gab; denn Rührung kam nicht in sein Herz, seine ersten Worte waren, als ob er Mutter noch gestern gesehen: Es ist doch artig von Ihnen, daß Sie es mich nicht entgelten lassen, daß ich nicht zuerst zu Ihnen kam (er hat nämlich etwas Gicht im Arm.)» Ueber die bei Tisch geführte Unterhaltung heißt es: «Leider aber waren alle Gespräche, die er führte, so gewöhnlich, so oberflächlich, daß es eine Anmaßung für mich sein würde zu sagen, ich hörte ihn sprechen oder ich sprach ihn, denn aus seinem Innern oder auch nur aus seinem Geiste kam nichts von dem, was er sagte. Beständig höflich war sein Betragen gegen Mutter und gegen uns alle, wie das eines Kammerherrn.» Und zum Schluß faßt sie ihren Eindruck folgendermaßen zusammen: «Du siehst aus allem diesem, er wollte verbindlich sein, doch alles hatte eine so wunderbare Teinture von höfischem Wesen, so gar nichts Herzliches, daß es doch mein Innerstes oft beleidigte.»[5]

Goethe hat das Zusammentreffen im lakonischen Stil seiner Tagebuch-Einträge registriert. Unterm 25. September findet sich die Notiz: «Mittag Riedels und Mad. Kästner von Hannover.» Ebenso lakonisch wird Lotte in der Jahresübersicht für 1816 erwähnt: «Von Besuchen,» schreibt Goethe, «bemerk' ich folgende, sämtliche Erinnerungen früher und frühster Zeit weckend» — und nun folgt am Ende einer Aufzählung von Namen auch der Name und Titel Lottes: «Hofrätin Kestner von Hannover.»[6] Schließlich existiert noch ein Brief Goethes, in dem er der Freundin seinen Dienstplatz im Theater anbietet; er folge hier im Wortlaut, weil er Goethes höflich-reservierte Haltung unmißverständlich dokumentiert: «Mögen Sie sich, verehrte Freundin,» schreibt Goethe am 9. Oktober 1816, «heute Abend meiner Loge bedienen, so holt mein Wagen Sie ab. Es bedarf keiner Billete. Mein Bedienter zeigt den Weg durchs Parterre. Verzeihen Sie, wenn ich mich nicht selbst einfinde, auch mich bisher nicht sehen lassen, ob ich gleich oft in Gedanken bei Ihnen gewesen. Herzlich das Beste wünschend Goethe.»

Dies sind die äußeren Umstände dieses Zusammentreffens, soweit sie überliefert sind. Worin der Reiz bestand, der diese Anekdote zur Kernszene eines ganzen Romans machen konnte, läßt sich aus einer Stelle des «Goethe und Tolstoi»-Aufsatzes erkennen. Thomas Mann sagt da: «Wir haben Schilderungen von dem Hofhalt Goethes in Weimar, wie er, nicht länger nur der Dichter bestimmter Werke, sondern ein Fürst des Lebens, der höchste Repräsentant europäischer Kultur, Gesittung und Menschlichkeit, umgeben von dem Stabe der Sekretäre, der höheren Gehilfen und dienenden Freunde, mit jener besternten und amtlichen Würde, die die Welt ihm auferlegte und hinter der er das Geheimnis und die Abgründe seiner Größe verbarg, dem Zustrom der zivilisierten Menschheit, der Fürsten, der Künstler, der Jugend, der schlichten Existenzen standhielt, denen das Bewußtsein, ihn haben anschauen zu dürfen, den Rest ihres Lebens vergolden mochte... und dies, obgleich in den meisten Fällen der große Augenblick sich zu einer frostigen Enttäuschung gestaltet haben wird.»[7]

Nun, wenn von einer frostigen Enttäuschung die Rede sein kann, dann hier, in Lottes Wiederbegegnung mit Goethe. Und dennoch wäre es vollkommen irrig, in diesem Augenblick der Enttäuschung, der mit melancholischer Eindringlichkeit die Vergänglichkeit auch der stärksten und echtesten Gefühle offenbart, etwa die Keimzelle des Romans sehen zu wollen. Von nichts ist Thomas Mann weiter entfernt als von einer Desillusionierungs-Psychologie, die mit boshaftem Behagen selbst das Genie den Lebensschwächen des Durchschnittes unterworfen sieht; hier ist nicht von der Abnützbarkeit des Gefühls als solcher die Rede, nicht von der seelischen Abstumpfung des Greisenalters, nicht von der alles zerstörenden Macht der Zeit; nicht Demaskierung ist die Absicht dieser Erzählung, und ihr Antrieb nicht jener geistreiche Zynismus, der in einer berühmten Novelle Anatole Frances den alten Pontius Pilatus im Bade sagen läßt, als er mit einem Bekannten Erinnerungen austauscht: «Jesus von Nazareth?? Ich erinnere mich nicht.»

Thomas Mann hat am Schluß eines Aufsatzes über den «Werther» das Zusammentreffen zwischen Lotte und Goethe erzählt und er schließt diesen Aufsatz mit einer Bemerkung, die geeignet ist, einiges Licht auf die Absicht zu werfen, die er mit diesem Roman verfolgt hat. «Ich meine,» sagt Thomas Mann, «daß sich auf diese Anekdote eine nachdenkliche Erzählung, ja ein Roman gründen ließe, der über Gefühl und Dichtung, über Würde und Verfall des Alters manches abhandeln und Anlaß geben könnte zu einem eindringlichen Charakterbilde Goethes, ja des Genies überhaupt.» Und vielsagend setzt er hinzu: «Vielleicht findet sich der Dichter, der es unternimmt.»[8]

Man braucht indessen diese Erklärung garnicht, um das Thema des Romans klar zu erkennen. Nicht um den Augenblick «frostiger Enttäuschung» geht es, sondern um das «Geheimnis und die Abgründe der Größe». Diese Größe ist allerdings etwas außerordentlich Komplexes; sie ist vor allem kein moralisches Phänomen. Thomas Mann führt einmal ein Wort Wilhelm von Humboldts an, der wenige Tage nach Goethes Tode erklärte, das Merkwürdige sei, daß dieser Mensch gleichsam ohne alle Absicht, unbewußt, bloß durch sein *Dasein* so mächtigen Einfluß geübt habe. «Es ist dies,» fährt Humboldt fort, «*noch geschieden* von seinem geistigen Schaffen als Denker und Dichter, es liegt in seiner großen und einzigen Persönlichkeit.»[9] Aber Ausdrücke wie «große Persönlichkeit» oder «große Natur» sind für Thomas Mann nur Notbezeichnungen für etwas, was sich der Bestimmung und Benennung im Grunde entzieht. Größe ist mystisch und elementar, ist Ausstrahlung ungeheurer Lebenskraft, weder rational noch rationalisierbar und deshalb ein «Geheimnis»: erlebbar, aber nicht erklärbar. Thomas Mann steht mit dieser Auffassung der Meinung Jakob Burckhardts sehr nahe, wie sie im Kapitel über «Die historische Größe» in den «Weltgeschichtlichen Betrachtungen» ausgesprochen ist. Aber auch Goethe selbst steht solchen Gedankengängen nicht fern. In einer Unterhaltung über Byron beispielsweise übte Eckermann moralische Kritik an dem von Goethe so geschätzten Dichter; Byrons bedeutendes Talent nicht bestreitend, zweifelte Eckermann doch, daß aus seinen Schriften für reine Menschenbildung ein entschiedener Gewinn zu schöpfen sei. Goethe widersprach dem energisch. «Byrons Kühnheit, Keckheit und Grandiosität,» rief er aus, «ist das nicht alles bildend? Wir müssen uns hüten, es stets im entschieden Reinen und Sittlichen suchen zu wollen. Alles Große bildet, sobald wir es gewahr werden.»[10]

Die Identifizierung des Großen mit dem Reinen und Sittlichen ausdrücklich ablehnen, heißt aber, in der Größe kein *moralisches* Phänomen sehen; und aus solchem Gefühl heraus spricht Thomas Mann von den «Abgründen» der Größe. Für eine solche Auffassung ist es undenkbar, den Begriff der Größe gleichsam auf dem Weg der Eliminierung erzielen zu wollen, durch bloße Ausschließung negativ bewerteter Eigenschaften. Wenn Karoline von Wolzogen also etwa in ihrer Lebensbeschreibung Schillers aus Schillers Briefen alle Stellen wegläßt, die sich auf pekuniäre Dinge beziehen, weil sie die ideale Vorstellung, die das deutsche Volk von seinem großen Dichter hat, nicht trüben will,[11] so ist dies einfach eine Fälschung der Wirklichkeit, deren sich der Glaube an die Kongruenz des «Reinen» und des «Großen» höchst naiver Weise schuldig macht. Von der Haltung Thomas Manns ist dies denkbar weit entfernt. Seine Vorstellung von Größe würde ihn keineswegs hindern, ein dichterisches Genie zu zeichnen, das im Verkehr mit seinem Verleger sich gleichzeitig als gewitzter Geschäftsmann hervortut; im Gegenteil, seine Vorstellung von Größe verlangt nach weit stärkeren Gegensätzlichkeiten. Ricarda Huch bestimmt einmal das Maß der Größe nach dem Umfang der Widersprüche, die ein Mensch in sich vereinigen könne; Gegensätzlichkeit, Polarität der Anlage, verbunden mit der Fähigkeit zur Synthese, hat auch Thomas Mann als innere Struktur des Schöpferisch-Lebendigen erkennen gelernt, und unter diesem Zeichen nähert er sich der bedeutenden Erscheinung. Groß in diesem Sinne ist also etwa der Goethe, der die Gretchen-Tragödie geschrieben hat, der mit der höchsten Kraft seines Dichtertums unser Fühlen für die kreatürliche Not schuldig gewordener Unschuld aufruft, und der als Minister das Urteil unterschreibt, das die Kindesmörderin aufs Schafott bringt. Die Erkenntnis aber, daß solches Verhalten nicht einfach inkonsequentes Verhalten ist, daß die

gefühlte Dichtung und das unterschriebene Urteil beide gleich
wahr, beide zugleich möglich sind als Aeußerungen eines und
desselben Menschenherzens, das bestimmt Thomas Manns Erlebnis der Größe, einer Größe nämlich, die den Mächten des
Chaos und den Kräften der Ordnung gleichermaßen zugeschwo-
ren ist, die aber eben deshalb ein «Geheimnis» und ein «Abgrund» ist.

Daß der Mann, der bis in sein Greisenalter ein großer Lieben-
der blieb, ein Leidenschaftlicher, der nach seinem eigenen
Geständnis seine ganze Umgebung hätte zugrunde richten
können, wenn er sich hätte gehen lassen, daß dieser Mann
gleichzeitig in unzähligen Berichten als eine steife, trockene,
konventionell sich gebende Exzellenz auf uns gekommen ist,
dies ist nichts als ein Ausdruck derselben Spannung, unter der
sein Leben steht. Und wenn die Anekdote von der Begegnung
zwischen Goethe und Lotte unter allen Anekdoten, die uns den
steifen, «konventionellen» Goethe zeigen, die schlagendste ist
— wenigstens scheint es so, seit Thomas Mann sie herausgeho-
ben und im Goetheschen Sinne «bedeutend» gemacht hat —,
so ist doch andererseits deutlich, daß es, um diese Begegnung
zu erzählen, nicht möglich war, *nur* diese Begegnung zu
erzählen.

Die ganze Episode hat ja überhaupt nur Sinn, wenn sie als
Kontrast gesehen wird; ihre Wirkung liegt zu allererst in ihrem
Gegensatz zu anderen Szenen; sie hat einen durchaus *komple-
mentären* Charakter. Diese Einsicht bestimmt die Komposition
des Buches. Zwei Dinge nämlich setzt die Anekdote voraus:
unsere Kenntnis der früheren, so ganz anderen Beziehung zwischen Goethe und Lotte, und unsere Kenntnis von Goethes
Größe überhaupt. Die Fabel der Anekdote, so wie sie vorliegt,
ist ja durchaus negativ: zwischen diesem alten Liebespaar
springt kein Funke mehr über, kein Wort, das der Dichter
spricht, verrät, daß es aus dem Munde eines Genies kommt.
Aber der paradoxe Reiz dieser Szene beruht nun gerade darin,
daß wir keinen Augenblick vergessen können, daß es ein Genie

ist, das sich hier so ungenial verhält. Und Thomas Mann setzt daher auch all sein Bemühen daran, diese Vorstellung von der Genialität seines Helden so lebendig als möglich in uns zu erzeugen. Deshalb geht der Schilderung des Mittagsmahles, einer Szene, in der alles Oberfläche bleibt, behagliche, gesellige Plauderei, eine andere voraus, die ganz *unter* der Oberfläche spielt: jenes kühne, so garnicht geplauderte Selbstgespräch, das die ungeheure Souveränität, den funkelnden Reichtum der Einfälle, die schonungslose Ueberlegenheit der Größe zu gestalten unternimmt. Erst neben der Enthüllung so viel inneren Lebens gewinnt die höfliche Weigerung, irgend etwas von innerem Leben sehen zu lassen, ihren rechten Sinn.

Aber damit ist es nicht genug: dem Selbstgespräch gehen noch sechs Kapitel voraus, von denen jedes nur den Zweck hat, die Ausstrahlung des Goetheschen Geistes, seine Brechung in den verschiedensten Medien, lichteren und trüberen, zu reflektieren; wiederholte Spiegelungen, die erst alle zusammen das Ganze ergeben. Da ist zuerst der Kellner des Gasthauses, in dem Lotte absteigt, Mager, ein Goethe-Enthusiast, und nach ihm Miss Cuzzle, die reisende Engländerin auf der Jagd nach Lottes Porträt. Beide, ahnungslos gegenüber Goethes wahrem Wesen, sind nicht von seiner Größe berührt, sondern von seiner Berühmtheit; vielmehr, sie können Größe nur in der Form der Berühmtheit vorstellen; nicht ohne tiefe Ironie ist beider Haltung vor der Größe hemmungsloser Enthusiasmus, ein Enthusiasmus, der ungetrübt ist von der Kenntnis jener «Abgründe», welche die Berühmtheit so gefällig überdeckt.

Vom Enthusiasmus kann beim nächsten Besucher, der Lotte seine Aufwartung macht, keine Rede sein. Dafür kennt Professor Riemer um so besser die Abgründe. Nun wird der Ring um Goethe schon enger gezogen; ein nicht geringer kritischer Verstand bemüht sich, das Rätsel der großen Persönlichkeit zu lösen, und als Rüstzeug dient ihm eine kritische Methode, die vortrefflich geschult ist, in Gegensätzen zu denken. Aber nun zeigt sich, daß das Verständnis der Größe nicht nur von der

Trefflichkeit der Methode, sondern noch mehr vom menschlichen Format des Betrachtenden abhängt. Und Riemers Format reicht nicht aus. Goethes kluger Helfer und Sekretär sieht genau — und bei der außerordentlichen Nähe zu seinem Objekt muß er es sehen —, wie gewaltigen Vorzügen nicht geringe Schwächen beigegeben sind, wie höchster Wuchs durch ungemeine Gefährdung erkauft ist; aber Plus und Minus stehen sich in seiner Betrachtungsweise nicht gegenüber wie die Pole eines Kraftfeldes, sondern wie die Größen eines Rechenexempels. Riemer subtrahiert. Und so wird statt zusammenschauender Synthese schielende Ambivalenz sein Teil. Er ist der Mann des «Zwar» und «Freilich aber», er setzt zu einem Lob an und endet mit einem Einwand, er umschreibt die Größe und schränkt sie ein. «Die Augen sind mächtig,» sagt er rühmend von Goethe, will er sagen, aber es wäre zu positiv; ein «bisweilen» hinkt nach; jetzt klingt es wie ein widerwilliges Zugeständnis.[12] «Es waren herrliche Stunden,» beginnt er, «die wir (nämlich Goethe und er) mit der Lektüre eines Werkes verbrachten, das den Stolz der Epoche bildet (er spricht vom «Wilhelm Meister») und auf Schritt und Tritt so viel Anlaß zum Entzücken gibt, *obgleich* (und nun läßt sich der Schulmeister in ihm nicht länger unterdrücken), obgleich auffallenderweise die Naturpoesie und das Landschaftsgemälde fast keinen Ort darin haben.»[13] Einmal im Zug geht er weiter: «Welche weitschweifig kalte Behaglichkeit doch auch zwischenein in dem Buch! Welch ein Gespinst von unbedeutenden Gedankenfasern!» sagt er, Worte einer strengen Kritik, die in Wirklichkeit der Graf Alexander Stroganoff an Goethe geübt hat, und die Thomas Mann kurzerhand Riemern in den Mund legt.[14] Aber er legt ihm noch mehr in den Mund, Thomas Manns eigene Worte nämlich, jene früher erwähnten Betrachtungen über Goethes vernichtenden Gleichmut, seine eigentümliche Kälte und Indifferenz, die «ihr Sach auf nichts gestellt hat», seine Glaubenslosigkeit, seine Ironie, seine naturelbische Dichtergesinnungslosigkeit, mit einem Wort: seinen Nihilismus.[15] Nicht ohne Nachdruck verweilt Riemer auf

Goethes «vollendeter Unglaubigkeit», die die Menschen nicht achtet, und an Ideen nicht glaubt; er verbreitet sich über Goethes wachsende Neigung zur Einsamkeit, zur Verknöcherung, tyrannischen Intoleranz, Pedanterie, Sonderbarkeit, magischen Maniriertheit, über seine Mürrischkeit, seine Unlust und sein hoffnungsloses Verstummen, seine geheimnisvolle Verlegenheit, — und je länger er redet, desto klarer wird, wie gebunden der Mann ist, wie wenig er von dem Gegenstand seiner Kritik loskommt. Es ist einmal die Rede von einer Berufung nach Rostock, die Riemer die Gelegenheit gäbe, seiner als subaltern empfundenen Stellung zu entkommen; er läßt die Möglichkeit vorbeigehen. Und indem man erkennt, daß dieser Mann ein Opfer ist, das sich im Dienst der Größe verbraucht, taucht eins der großen Leitmotive des Buches auf: der Gedanke des Opfers, die Einsicht in die zerstörende Macht der Größe.

Ein Opfer ist auch August, Goethes Sohn, von dem die nächsten Kapitel handeln, und der zuerst im Bericht Adele Schopenhauers und dann in eigener Person Lotte gegenübertritt. Riemer hat weder die Fähigkeit, sein Ich ganz hinzugeben, noch den Willen, es entschlossen zu bewahren. Er dient, aber er dient maulend. Von einem anderen, und sei er noch so groß, als Mittel benützt zu werden, schlägt seinem Mannesstolz die furchtbarsten Wunden; und «Mannestum, Manneswürde» sind die Worte, die er immer wieder gebraucht; der Größe verfallen, unfähig, ein eigenes Leben zu führen, unfähig, auf ein eigenes Leben zu verzichten, wird er zwischen Selbstentäußerung und Ueberkompensation hin- und hergerissen und verzehrt sich in fruchtlosem Ressentiment.

Seinen «Manneswert» in Frage gestellt sieht auch August Goethe. «August war Sohn — das war die Haupteigenschaft seines Lebens,» sagt Adele Schopenhauer von ihm.[16] Und worin die besondere Problematik einer solchen Sohnschaft beruht, drückt sie folgendermaßen aus: «Der Sohn eines Großen — ein hohes Glück, eine schätzbare Annehmlichkeit und eine drückende Last, eine dauernde Entwürdigung der eigenen Selbstheit doch auch wieder.»[17] Diese Entwürdigung liegt nicht so sehr in jenen untergeordneten Diensten, gegen die Riemer so heftig rebelliert: geschäftliche Aufgaben, Verwaltung von Sammlungen, Ordnung von Manuskripten, Wahrung ökonomischer Interessen und Vertretung des Vaters bei repräsentativen Anlässen sind Funktionen, die August ohne Widerwillen, vielfach sogar mit Neigung ausführt. Was seine «Selbstheit» viel mehr in Frage stellt, ist, daß das mächtige, das zwingende Dasein des Vaters die private Existenz, die persönlichsten Entscheidungen des Sohnes in vorgezeichnete, ihm wesensfremde Bahnen drängt. Er sieht die Braut durch des Vaters Augen, er wählt den ihm ungemäßen Typus; oder vielmehr, durch ihn zieht der Vater sich das ihm zuträgliche, das lebensheitere «Persönchen» Ottilie von Pogwisch ins Haus. Und Ottilie ihrerseits begeht denselben entscheidenden Mißgriff: sie akzeptiert den Sohn und meint den Vater. Die Voraussetzungen für eine unglückliche Ehe sind damit gegeben.

Die Uebermächtigung durch des Vaters beherrschende Natur bringt August weiter in Gegensatz zu seiner eigenen Generation. Sie kostet ihn den Freund und die Achtung seiner Kameraden. In Heidelberg als Student wird er vor die Wahl gestellt, sich entweder für Achim von Arnim zu entscheiden, den liebenswerten romantischen Jüngling, den er sich zum Freunde wünscht, oder für das Haus Voß, dem Vater befreundet und treu ergeben, und dem Geiste der Romantik unversöhnlich zuwider. Er hält es für seine Pflicht, sich zu den Anhängern des Vaters zu bekennen. Eine tiefere Wunde wird ihm geschlagen, als der Vater es mit allen Mitteln zu verhindern weiß, daß August sich im Befreiungskrieg den Weimarischen Freischaren anschließt, eine Entscheidung, die Anlaß zur Anzweiflung seines Ehrgefühls und Mutes gibt, die ihn seinen Kameraden entfremdet, und ihn in eine Abseitsstellung drängt, der der Vater gewachsen ist, aber nicht der Sohn. August, naiver als Riemer, emotionaler, weniger begrifflich, weniger imstande, sich durch Bewußtmachung problematischer Zustände zu helfen, macht

sich Luft in Ausbrüchen dumpfer und trüber Leidenschaftlichkeit. Die Schatten der späteren Katastrophe kündigen sich an.

In gewissem Sinn ein Opfer ist freilich auch Lotte, insofern
auch sie, wie Riemer es einmal ausdrückt, ihre Existenz als
«Mittel zum Zweck» behandelt sehen muß, worunter die Rück-
sichtslosigkeit zu verstehen ist, der «Verstoß gegen Treu und
Glauben», mit der der dichterische Genius «hinter dem Rücken
der Freunde, in heimlicher Tätigkeit, das Zarteste, was sich
unter drei Menschen begeben kann, zugleich zu verherrlichen
und zu entweihen unternahm.».[18] Damit ist natürlich der «Werther» gemeint. Lotte geht nicht darauf ein, als Riemer sie ken-
nerisch bemitleidet für die Rolle, die sie als Material zu dich-
terischer Gestaltung gespielt hat, aber es hängt doch mit solchen Erwägungen zusammen, wenn sie, viel später, ihrem Ge-
sprächspartner ihre Zweifel an dem letzten Ernst der Huldigun-
gen eröffnet, die ihr der leidenschaftliche Jüngling von einst
darbrachte: gerade die Bereitwilligkeit, mit der Goethe das be-
stehende Verhältnis zwischen Kestner und Lotte respektiert,
wird ihr zum Anlaß langjährig-unaufhörlichen und angestreng-
ten Kopfzerbrechens, — über «die Rolle und den Charakter des
Dritten nämlich, der von außen kommt und in ein gemachtes
Nest das Kuckucksei seines Gefühles legt».[19] Daß dieser Dritte
sich kein Mädchen auf eigene Hand erwählt, sondern sich nie-
derläßt auf anderer Lebensschöpfung, diese «Liebe zu einer
Braut» zu kennzeichnen, findet Lotte schließlich kein anderes
Wort als das Wort «Schmarotzertum». Riemer weiß dem
«grassen Wort» freilich eine freundliche Deutung zu geben, indem er erklärt, es gäbe ein *göttliches* Schmarotzertum, ein Sich
Niederlassen der Gottheit auf menschlicher Lebensgründung, —
wobei ein blitzartiges Licht auf die Anziehungskraft fällt, die
das Amphitryon-Thema auf Thomas Mann ausgeübt hat —, dem
gerade auf Grund seiner Göttlichkeit eine «gewisse reale Be-
deutungslosigkeit» innewohne,[20] was aber nur Lottes geheimen
Verdacht bestätigt, daß es sich bei dieser Leidenschaft, soviel
Leiden sie bringen mochte, um eine Art von Spiel gehandelt

habe. In Lottes dunkler Ahnung, daß sie selbst in Wirklichkeit garnicht gemeint gewesen sein möge, und in Riemers Betrachtungen über das Wesen der Poesie, in der nicht nur die Sprache, sondern auch das Gefühl, der Gedanke, die Leidenschaft sich selber anschaue, in diesen Narzissus-Assoziationen klingt etwas wieder von der Stimmung jenes merkwürdigen Briefes an Charlotte von Stein, in dem es heißt: «Gestern von Ihnen gehend hab ich noch wunderliche Gedanken gehabt, unter anderen ob ich Sie auch wirklich liebe oder ob mich Ihre Nähe nur wie die Gegenwart eines so reinen Glases freut, darin sichs so gut bespiegeln läßt.» [21]

Noch bedeutsamer ist freilich, daß Goethes Verhältnis zu Lotte sich wiederholt in seiner Beziehung zu Marianne von Willemer. Wiederum werden in der Beziehung zur Frau eines anderen die von der Wirklichkeit gesetzten Schranken respektiert, wiederum entsteht ein hohes Spiel der Leidenschaft, und wie seinerzeit im «Werther» spiegelt sich nun das Erlebnis im «West-östlichen Divan». Und wenn Lotte die Vermutung ausspricht, der Dichter werde Enttäuschung empfunden haben, daß die geliebte, dichterisch umworbene Frau vor seinen Augen die Frau eines anderen geworden sei, so muß sie sich von August eines besseren belehren lassen. Ganz im Gegenteil, versichert ihr August, «auf dem Hintergrund der so geordneten, bereinigten und geklärten Verhältnisse» habe sich Goethes Behagen als Gast in diesem schönen Erdenwinkel erst recht entwickelt.[22] Aber gerade die Tatsache, daß Goethe die alte Konstellation in erneuerter Form durchlebt, diese seine Fähigkeit zur Metamorphose, zur verjüngenden Wiederholung, erklärt das Mißbehagen, das in ihm aufsteigt, als die alte Liebe plötzlich als ein Stück versteinerter Vergangenheit vor ihm steht. Nicht anders wie das Thema des Opfers ist auch das Thema der Wiederholung, der Metamorphose eines der Motive, die durch das Buch hindurchgehen, die immer wieder auftauchen und aufs reizvollste variiert werden. August und Ottilie — auch das ist Wiederholung, selbst Lotte erkennt es, wenn sie zu August vom Reiz einer Verbindung spricht, mit der «was die Alten sich versagten und versäumten, von den Jungen nachgeholt und verwirklicht würde».[23]

In diesem Buch geschieht fast nichts und wird kaum ein Wort gesprochen, das nicht, mittelbar oder unmittelbar, auf sein Zentrum bezogen wäre: Goethe. Goethescher Geist durchdringt die Situationen, Goethesche Ausdrucksweise durchdringt die Sprache. Selbst der unliterarischen Lotte entschlüpfen köstlicherweise Goethesche Prägungen; von seinen «angeborenen Verdiensten» spricht sie zu August; «klatrig» erscheint ihr die junge Dichtergeneration, womit sie einen Ausdruck gebraucht, den Goethe bekanntlich auf Kleist anwandte. Am leichtesten ließe sich natürlich an dem großen Monolog Goethes zeigen, wieviel von Goethes Sprache in diesen Roman eingegangen ist. Aus Lebensereignissen, aus Berichten anderer, aus Goethes eigenen Worten und aus Erfindungen Thomas Manns, die im Geiste des Gegebenen weiterdichten, stilisieren und zuspitzen, ist ein kunstvolles Sprachgewebe entstanden, das Zug um Zug wieder aufzudröseln eine eigene Untersuchung erfordern würde. Ein oder zwei Beispiele mögen das Verhältnis zwischen Thomas Manns Roman und seinen Vorlagen verdeutlichen:

Bericht Sulpiz Boisserées:[24]	Lotte in Weimar:[25]
6. Sept. 1815: «Abends singt Marianne Willemer mit ganz besonderem Affekt und Rührung: Der Gott und die Bajadere. Dann: Kennst du das Land, und mehreres andere, ausdrucksvoller als ich es je von ihr gehört. 17. Sept.: Abends Gesang. Marianne singt wieder Der Gott und die Bajadere. Goethe wollte dies anfangs nicht; es bezog sich dieses auf ein Gespräch, das ich kurz vorher mit ihm geführt, daß es fast ihre eigene Geschichte sei, so daß er wünschte, sie sollte es	... Singt die kleine Frau Der Gott und die Bajadere, sollte sie nicht singen, ist ja beinahe ihre eigene Geschichte. Singt sie Kennst Du das Land — mir kamen die Tränen und ihr auch, der Lieblich-Hochgeliebten, die ich mit Turban und Schal geschmückt, — und sie und ich, wir standen im Tränenglanz unter den Freunden.

nimmer singen . . . Man bat Goethe . . . noch etwas zu lesen und
die kleine Müllerin (Marianne)
schmückte sich mit ihrem Turban
und einem türkischen Schal, den
Goethe ihr geschenkt hatte.
16. Sept.: Die kleine Frau be-
merkte, und Goethe bestätigte,
daß die Zeit während der Musik
unendlich langsam gehe; die größten Kompositionen drängten sich
in einen kurzen Zeitraum zusammen, und scheine einem bei dem
größten Interesse, eine lange Zeit
verflossen.
Nach Tisch liest Goethe den Sie-
benschläfer, den Totentanz, das
Sonnett: Am jüngsten Tag, wenn
die Posaunen schallen.
17. Sept.: Es wurde viel gelesen,
auch viele Liebesgedichte an Jussuph und Suleika. Der Totentanz
wurde gesagt und anderes.
. . . Willemer schlief ein und wurde
darum gefoppt. Wir blieben deshalb desto länger zusammen, bis
1 Uhr. Es war eine schöne Mond-
scheinnacht. Goethe will mich in
seinem Zimmer noch bei sich be-
halten; wir schwatzen, dann fällt
ihm ein, mir den Versuch mit den
farbigen Schatten zu zeigen, wir
treten mit einem Wachslicht auf
den Balkon und werden am Fen-
ster durch die kleine Frau be-
lauscht.»

Sagt sie, der gescheite Schatz, mit
der Stimme, mit der sie gesungen:
Wie langsam geht doch die Zeit
bei Musik, und ein wie vielfaches
Geschehen und Erleben drängt
sie in einen kurzen Zeitraum zusammen, da uns bei interessiertem
Lauschen eine lange Weile verflossen scheint! Lobte sie weidlich fürs Aperçu und stimmte ihr
zu aus der Seele. Sagte: Liebe
und Musik, die beiden sind Kurzweil und Ewigkeit — und solchen
Unsinn. Las ich den Siebenschlä-
fer, den Totentanz, aber dann:
Nur dies Herz, es ist von Dauer;
aber dann: Nimmer will ich dich
verlieren; aber dann: Herrin, sag,
was heißt das Flüstern; aber endlich: So, mit morgenroten Flü-
geln Riß es mich an deinen Mund.
Es wurde spät in der Vollmond-
nacht. Albert schlief ein, Willemer
schlief ein, der Gute, und wurde
gefoppt. Es war ein Uhr als wir
uns trennten. War so munter, daß
ich dem Boisserée durchaus noch
auf meinem Balcon mit der Kerze
den Versuch mit den farbigen
Schatten zeigen mußte. Merkte
wohl, daß sie uns belauschte auf
ihrem Söller. Euch im Vollmond
zu begrüßen Habt ihr heilig an-
gelobet —

Vom Bericht Boisserées sind, der Kürze halber, hier nur diejenigen Teile wiedergegeben, die Thomas Mann verwendet hat. Liest man den ganzen Bericht nach, so wird man leicht finden, wie sehr Thomas Mann die Stimmung geändert hat. Bei Boisserée ein heiterer, geselliger, auf der Gerbermühle in großem Kreis verbrachter Tag. Die Stimmung ist lustig, es wird viel Scherz getrieben, Goethe erzählt von einer schönen Müllerin, die ein Gegenstück zu seiner Dorothea ist. Thomas Mann wendet die Szene ins Unterdrückt-Leidenschaftliche; von den Tränen steht nichts bei Boisserée; «wir standen im Tränenglanz unter den Freunden,» ist echteste Erfindung Thomas Manns. Natürlich greift er Mariannes Bemerkung von der Zeit auf, es berührt eines seiner Hauptthemen; ja, er verstärkt sie, indem er die ganze Erinnerung an Marianne mit einer Betrachtung über die Zeit einleitet, in der es am Ende heißt: «Da ist die Musik. Hat ihre Gefahren für die Klarheit des Geistes. Aber ein Zaubermittel ist sie, die Zeit zu halten, zu dehnen, ihr eigentümlichste Bedeutendheit zu verleihen.» Und nun steigt das Bild der singenden Marianne vor ihm auf. Die Worte, die Marianne spricht und die Boisserée wiedergibt, werden von Thomas Mann überdies noch verstärkt: «Lobte sie weidlich fürs Aperçu und stimmte ihr zu aus der Seele,» das entspricht Boisserées «und Goethe bestätigte»; aber der Zusatz: «Sagte: Liebe und Musik, die beiden sind Kurzweil und Ewigkeit,» ist nun gleich wieder eine Zuspitzung und Ausdeutung im Geiste Thomas Mannscher Antinomienkunst. Kleinigkeiten lassen erkennen, wie Thomas Mann steigert. Es wurde viel gelesen, sagt Boisserée, auch viele Liebesgedichte an Jussuph und Suleika. Der Totentanz wurde gesagt und anderes. Was Boisserée beiläufig erwähnt, die Liebesgedichte, wird bei Thomas Mann zum Höhepunkt: der Totentanz geht voran, «*aber dann*»: — und nun folgt das Wichtige und Eigentliche, und die Lieder werden, um die Beziehung deutlich zu machen, mit ihren Anfangszeilen genannt. Ein winziger, doch meisterhafter Zug ordnet die Szene dem Grundmotiv des Buches ein: «Willemer schlief ein»: das übernimmt Thomas Mann von Boisserée; davor aber setzt er: «Albert schlief ein,» und mit einem Schlag ist der Parallelismus der Situationen ins Bewußtsein gehoben. Lotte und Goethe, Marianne und Goethe, und daneben die Belanglosigkeit des Dritten, hier Willemer, dort Albert. Es ist eine musikalische Komposition; so wie hier plötzlich der Name Albert auftaucht, so tauchen immer wieder die Hauptmotive des Buches auf.

Noch ein Beispiel möge das Verfahren Thomas Manns seinen Quellen gegenüber verdeutlichen. Man vergleiche wiederum den Bericht Boisserées über ein Mittagessen auf der Reise mit der Form, die dieser Bericht bei Thomas Mann gewinnt.

Bericht Boisserées:[26]	Lotte in Weimar:[27]
8. Okt. 1815: Zu Hardtheim Mittagessen. Ein junges, frisches Mädchen bedient uns, ist nicht schön, hat aber verliebte Augen. Der Alte sieht sie immer an. Kuß. —	«Wir aßen in Hardtheim zu Mittag im Wirtsgarten. Da war die junge Bedienerin, die es mir antat mit ihren verliebten Augen, und an der ich ihm vordemonstrierte, wie Jugend und Eros aufkommen fürs Schöne, denn sie war unhübsch, aber erz-attractiv und wurde es noch mehr vor schämigspöttischer Erhöhtheit, da sie merkt, der Herr spräch von ihr, was sie ja merken sollt, und er merkte auch natürlich, daß ich nur sprach, damit sie merke, ich spräche von ihr, hatte aber eine musterhafte Haltung in solcher Bewandtnis, weder gêniert noch unfein — das ist katholische Kultur — und war von der heitergünstigsten Gegenwart, als ich ihr den Kuß gab, den Kuß auf die Lippen.»

Auch von dieser kleinen Episode aus kommt Goethe auf Lotte und den Werther zurück. Indem er an die Bedienerin im Wirtshausgarten denkt und an den Kuß, den er ihr gegeben, glaubt er plötzlich den Duft reifer Himbeeren im Hause zu verspüren. Es wird nicht ausgesprochen, aber es kann kein Zweifel bestehen, daß in seinem Unterbewußtsein eine Erinnerung an den Kuß aufsteigt, den er Lotte «in den Himbeeren» gegeben, und von dem im Werther-Aufsatz ausdrücklich die Rede ist.[28] Nichts kann reizvoller die Kunst verdeutlichen, mit der die Dinge in diesem Goetheschen Monolog nicht logisch-gedanklich, sondern assoziativ-musikalisch verknüpft sind. Es folgt, in typisch Mannscher Stilisierung eine Betrachtung über den Kuß: «Mitte des Sakraments zwischen dem geistlichen Anfang und fleischlichem End,» — und doch in der Führung zugleich dem Geist des alten Goethe nicht fern, der im Besonderen das Allgemeine zu sehen liebt. Es geschieht in Goethes Geist, wenn im Weiterspinnen dieses Monologs der Kuß zu einem Sinnbild der Poesie gemacht wird, Kuß und Zeugung wie Kunst und Leben einander gegenübergestellt werden, «denn die Fülle des Lebens, der Menschheit, das Kindermachen ist nicht Sache der Poesie, des geistigen Kusses auf die Himbeerlippen der Welt»[29] — was ist dies anderes als eine Paraphrasierung des Goetheschen Wortes: «Ein Gedicht ist ein Kuß, den man der Welt gibt. Aber aus bloßen Küssen werden keine Kinder.»[30] Wie sehr die Vorstellung der Himbeeren tatsächlich an Lotte gebunden war, wird nun auch klar: unmittelbar auf die Metapher von den «Himbeerlippen der Welt» taucht das Bild Lottes auf, ihr «Lippenspiel mit dem Kanarienvogel» — «artig infam» wird es in Thomas Mannscher Antithesensprache genannt; und man ist ganz in der Nähe des «Tonio Kroeger», wenn der alte Goethe gelassen die Bereitschaft des jungen feststellt, «Liebe, Leben und Menschheit an die Kunst zu verraten». Aber dicht daneben treibt das Gedächtnis nun wieder Bruchstücke aus Goethes eigener Wirklichkeitswelt hervor: Sätze aus einem Brief an Kestner. Wieder wird die Beziehung zwischen Vergangenheit und Gegenwart hergestellt, Divan und Werther in Parallele gesetzt, Divan und Werther, die dasselbe sind «auf ungleichen Stufen, Steigerung, geläuterte Lebenswiederholung». Und «Lotte am Clavier ...

war das nicht Marianne schon, accurat, oder richtiger: wars diese nicht wieder, wie sie Mignon sang, und Albert saß auch dabei, schläfrig und duldsam?»

Man sieht das künstlerische Verfahren, mit dem dieser Monolog gebaut ist: wie Elemente Goethescher Wirklichkeit mit dem Geiste und im Geiste Thomas Manns zu einer Einheit verbunden werden. Erstaunlich ist, wie die vielen Einzelheiten nicht ins Ganze eingesetzt, sondern augenblicksgeboren erscheinen. Vom Erwachen aus dem erotischen Traum, das jenem «Zug von Verwegenheit», ohne den nach Goethe kein wahres Talent denkbar ist, seine Existenz verdankt, bis zum bösartig zweideutigen Schlußwort Augusts, der zu Lotte geschickt wird, um Goethe zu vertreten, und angesichts dieses bedeutenden Auftrags erklärt, nur Wielands Begräbnis wäre allenfalls zum Vergleich heranzuziehen: von Anfang bis zu Ende dieses Kapitels wird die ungeheure Vielseitigkeit des Goetheschen Geistes vor uns ausgebreitet, ohne daß das Ganze künstlich oder gelehrtenhaft zusammengehäuft erschiene. Thomas Mann greift Dinge auf, mit denen Goethe sich, wie sein Tagebuch zeigt, tatsächlich in den Septembertagen 1816 beschäftigt hat; das Rochusfest etwa, den Skandal, den der Jenaer Professor Oken mit seiner Zeitschrift «Isis» erregte, das Geburtstagsgedicht an den Minister Voigt — Goethe überdenkt es vor unseren Augen, er entwirft den Brief, den er wegen der «Isis» an den Herzog geschrieben hat —, die außerordentliche Wirkung dieses Monologs beruht nicht zuletzt in der Kunstfertigkeit, mit der echte Aeußerungen Goethes nicht etwa unorganisch aufgesetzt werden, sondern vor unseren Augen in ihrem Zusammenhang entstehen. Thomas Mann hat einen tiefen Respekt vor der Wirklichkeit Goethes, und wo er vom historisch Ueberlieferten abweicht, handelt es sich entweder um Belangloses, oder um den Versuch, das Wirkliche zum Wahren zu verdichten, das Grundgesetz eines ganzen Lebens in der Abbreviatur eines Romans von 450 Seiten aufscheinen zu lassen. Es ist belanglos, daß Adele Schopenhauer, die in Thomas Manns Roman einen Besuch bei Lotte macht, sich in Wirklichkeit zur selben Zeit am Rhein aufhielt; es ist belanglos, daß Riemer, den Thomas Mann am Mittagessen bei Goethe teilnehmen läßt, damals nicht im Hause Goethes verkehrte,[31] oder daß an diesem Mittagessen nur Goethe, August, Charlotte mit ihrer Tochter und Ridels, und nicht wie bei Thomas Mann sechzehn Personen teilgenommen haben. Es ist belanglos, daß August Goethe nicht von Herder, wie Thomas Mann Adele sagen läßt, sondern vom Konsistorialrat Günther konfirmiert wurde; es ist belanglos, daß die Braut des Freischärlers Heinke Charlotte hieß und nicht Fanny wie bei Thomas Mann, und daß Lotte Kestners Tochter, in deren Begleitung sie nach Weimar kam, nicht Lottchen hieß, sondern Clara. Wenn Thomas Mann sie Lottchen nennt, so mag dies freilich seinen Grund haben. Es hängt vielleicht mit jenem erwähnten Leitmotiv der «Wiederholung» zusammen. So wie in August ein Stück von Goethe wiederkehrt, und nicht sein Bestes: die Leidenschaftlichkeit ohne das Genie, so kehrt in Lottes Tochter ein Stück von Lotte wieder: die Hausbackenheit ohne den Liebreiz; und daß sie denselben Namen führt wie die Mutter soll vielleicht den Zusammenhang deutlicher machen. Auch in einem anderen Punkt weicht Thomas Mann nicht ohne Absicht von der Wirklichkeit ab. Nach dem Mittagessen bei Goethe habe Charlotte ihren Freund nicht wiedergesehen, sagt Thomas Mann. Wir wissen jedoch, daß Charlotte im Hause des Kanzlers Müller noch einmal mit Goethe zusammengetroffen ist, mehrmals auch im Theater, unter anderem bei einer Vorstellung des Epimenides, und wie die Tochter berichtet, soll bei diesen Gelegenheiten das Verhältnis wärmer geworden sein. Es leuchtet ohne weiteres ein, daß Thomas Mann es mit gutem Grunde vorzog, den Charakter dieser seltsamen Wiederbegegnung in einer einzigen Szene zum Ausdruck zu bringen; Wiederholungen, die schwerlich etwas Neues bringen konnten, hätten nur abschwächend gewirkt.

Soviel von den Fakten. Was die Personen anbelangt, so läßt sich auch hier derselbe Respekt Thomas Manns vor der Wahrheit beobachten. Wer Riemers Tagebücher liest, oder seine Briefe an Frommann, wird sich schnell überzeugen wie ressentimentbeladen die Seele dieses schwerfälligen Mannes war; eines freilich wird er nicht finden: die schlagende Formulierungskraft, die scharf zielende, geistreich unbarmherzige Fähigkeit des Ausdrucks, die er bei Thomas Mann besitzt, so daß es doch auch wieder der wirkliche Riemer nicht ist, der uns im Roman begegnet. Aehnlich steht es mit August. Den Ereignissen zwar folgt Thomas Mann, so wie er sie in Wilhelm Bodes Buch über «Goethes Sohn» gefunden hat, durchaus getreulich und vielfach sogar wörtlich; aber ähnlich wie Riemern verleiht er auch August ein Stück von seinem eigenen Geist, so daß auch August sich mit einer Treffsicherheit und Bestimmtheit auszudrücken weiß, die vom Urbild nicht bezeugt ist. Gleichzeitig freilich ist die ganze Figur etwas ins Dumpfe and Schwere, ins Jähe und Wilde stilisiert. So wie die noch folgenden wirklichen Begegnungen Goethes mit Lotte in das eine Tischgespräch schon mithineingenommen sind, so ist auch, was von Augusts Leben noch folgt, die unglückliche Ehe, die zerrüttete Existenz, der frühe Tod, im Roman gleichsam schon mitgeschildert. Hofmannsthal sagt einmal, daß ein junger Mensch, der mit dreißig Jahren stirbt, in jedem Augenblick seines Lebens ein Mensch ist, der mit dreißig Jahren stirbt; in einem ähnlichen Gefühl läßt Thomas Mann August Goethe von seinem unglücklichen Ende überschattet sein. «Er will vom Tode nichts wissen,» sagt August von seinem Vater, «er ignoriert ihn, sieht schweigend über ihn hinweg, — ich bin überzeugt: wenn ich vor ihm stürbe — und wie leicht möchte das geschehen; ich bin zwar jung und er ist alt, aber was ist meine Jugend gegen sein Alter! Ich bin nur ein beiläufiger, mit wenig Nachdruck begabter Abwurf seiner Natur — wenn ich stürbe, er würde auch darüber schweigen, sich nichts anmerken lassen und nie meinen Tod bei Namen nennen.»[32] Die Stelle ist nicht nur ein Beispiel für die Art, in der Thomas Manns Gesamtwissen von Goethes Existenz in den Roman einbezogen ist, sondern auch für den außerordentlich hohen Grad von Bewußtheit, mit dem die Figuren sich über sich selbst, die Situation, in der sie stehen, und deren Bedeutung im klaren sind. Auch Lotte zeigt diese besondere Fähigkeit des Klärens, Benennens und Aussagens. Dabei wäre es völlig falsch, zu sagen, daß die Wirklichkeit damit verzerrt wäre, sie ist nur in einen anderen Aggregatzustand übergeführt; das Ganze spielt in einer anderen, geistigeren, bewußteren, gesteigerten Sphäre, ohne daß die Verhältnisse in sich selbst verschoben wären.

Diesen Prozeß der Destillierung hat Thomas Mann übrigens noch einmal um eine weitere Potenz gesteigert: in dem tiefsinnigen Scherz des Epilogs. Denn überraschenderweise führt Thomas Mann nun doch noch einmal eine Begegnung zwischen Goethe und Lotte herbei: auf dem Rückweg vom Theater findet Lotte plötzlich Goethe im Wagen neben sich sitzen. Das Gespräch, das zwischen ihnen stattfindet, ist freilich kein «wirkliches»; es ist ein genial erfundenes Geistergespräch, in dem die Worte gesprochen werden, die in der Sphäre, die dem «Notwendigen» unterstellt ist, nicht gesprochen werden konnten. Daß die vorausgegangene Wiederbegegnung Goethes und Lottes «unbefriedigend» genannt werden kann, bedeutet keine Kritik an Goethe, sondern Kritik am Leben. Alle Wirklichkeit beruht auf Entsagung; noch das stärkste Leben bedeutet Verkümmerung, indem es zur Wahl zwingt, zur Auswahl, zur Entscheidung gegenüber dem riesenhaften Reich der Möglichkeiten. Es bleibt, Anlaß zur Frage, Aufgabe der Enträtselung, die Fülle des Ungelebten, mit seinem «Wenn nun aber» und «Wie denn auch». In diesem Licht des tragischen, weil notwendigen Verzichtes gesehen, erscheint nun Goethe selbst als ein großes Opfer, neben dem das traurige Los der Opfer in seiner Nähe, Riemers, Augusts, Ottilies, verblaßt.

In dem Gedanken, wie immer wieder das Mögliche dem Wirklichen geopfert werde, im Gleichnis von der brennenden Kerze, die ihren Leib opfert, damit das Licht leuchte, klingt Goethes «Selige Sehnsucht» an und Nietzsches tragische Selbsterkenntnis: «Ungesättigt gleich der Flamme, glühe und verzehr' ich mich,» vom Tragischen ins Versöhnliche gewendet durch die Idee des «Stirb und Werde», den Gedanken der ewigen Verjüngung, der Dauer im Wandel, der Metamorphose. Das Wirkliche und das Mögliche, die Größe, die Idee des Opfers — all die Leitmotive des Romans tauchen in diesem Epilog noch einmal auf, verklärt von einem tiefen Wissen um die Zusammengehörigkeit aller Dinge, um die Einheit von Opferer und Geopfertem. Wenn dann schließlich der Kellner Mager an den Schlag geeilt kommt, um in betulichem Geschwätz «Werthers Lotte aus Goethes Wagen zu helfen», wird noch einmal das Grundgesetz dieser Dichtung sichtbar, die Ernstes mit Laune vorbringt, Schwerstes in Heiterkeit, und die, mit leichter Hand, aus einer kleinen Anekdote des größten Deutschen dichterisch bedeutendstes Porträt entwickelt.

DÄMONIE

Blickt man von «Lotte in Weimar» und den Joseph-Romanen
zurück auf die Krankheitsgeschichten der «Buddenbrooks», des «Tod in Venedig», des «Zauberberg», dann erscheint die Entwicklung Thomas Manns wie ein schrittweiser
Genesungsprozeß, der glückhaft unter der Führung Goethes
sich vollzieht. Und hätte Thomas Mann nach dem vierten
Joseph-Roman kein Buch mehr veröffentlicht, so böte eine
solche Sicht sich leicht als endgültig dar, zur nicht geringen
Genugtuung des ethisch gerichteten Betrachters, dem daran
liegt, die lebenserhaltenden und lebensbemeisternden Kräfte
im Dasein sich behaupten zu sehen. In Wahrheit aber folgt auf
den gottgesegneten Aufstieg Josephs, auf die geistige Thron-
erhebung Goethes der furchtbare Höllensturz des «Doktor
Faustus». Es ist wie wenn auf einmal alles widerrufen wäre.
Das Bekenntnis zum Leben schlägt um in die Weheklage, das
Genie wird zum Opfer, Meisterschaft zur Besessenheit, der
Gottbegnadete zum Teufelsbündler, und gerade daß Thomas
Mann das Hauptthema des Goetheschen Lebens wieder auf-
nimmt, macht den Widerruf nur um so deutlicher. Es ist die
Wiederholung mit völlig verändertem Vorzeichen. So bekom-
men die Stufen der Gesundung, die sich im Lebensgang Thomas
Manns verzeichnen ließen, nachträglich einen prekären und
zweideutigen Charakter, aufgehoben von der katastrophalen
Gewalt des Rückfalls.

Doch ist der «Doktor Faustus» nicht nur Rückfall und Widerruf; er ist auch Rückkehr, eine Rückkehr zu den Anfängen, in
mancherlei Sinn.[1] Zunächst im Ethisch-Ideellen: noch einmal
werden die Themen aufgenommen, unter denen Thomas Manns
Jugend gestanden hatte, die Problematik des Schönen, die Verführung der Musik, das Leiden am Leben. Die «Phantasie über
Goethe» hingegen, die 1948 als Einleitung zu einer amerikani-
schen Goethe-Ausgabe erscheint, besitzt in der Tat den Charak-

ter der *Phantasie,* das heißt des Unverbindlichen, so virtuos auch die Ergebnisse früherer Beschäftigung mit Goethe zusammengefaßt sind. Man fühlt, es ist schon Bewältigtes, auf das zurückgegriffen wird; die Gelegenheit, die diesen Aufsatz hervorruft, ist nicht zum Anlaß erneuter, lebendiger Auseinandersetzung geworden. Der siebzigjährige Thomas Mann legt sich nun selbst die verwunderte Frage vor, woher es denn eigentlich komme, daß sein Schriftsteller-Leben ausführliche Studien über Tolstoi und über Goethe mit sich gebracht habe, daß er aber über zwei Bildungserlebnisse, die «mindestens eben so tief» seine Jugend erschüttert hätten, nie zusammenhängend geschrieben habe, nämlich über Dostojewski und Nietzsche.[2] Was Nietzsche anbelangt, so hätte er ruhig «viel tiefer» sagen können, denn wie immer, kommt ihm auch diesmal nicht zum Bewußtsein, wie verhältnismäßig gering gerade Goethes Bedeutung für seine Jugend gewesen ist. Mit Nietzsche aber, unter dessen Zeichen nun die späte Epoche Thomas Manns steht, und dem nicht nur ein eigener Aufsatz, «Nietzsches Philosophie im Lichte unserer Erfahrung», gewidmet wird, sondern dessen Gestalt auch sonst, in einer Einführung zu Dostojewskis Erzählungen, in «Deutschland und die Deutschen» und vor allem im «Doktor Faustus» als heimlicher Mittelpunkt erscheint, mit Nietzsche kehrt Thomas Mann zu den entscheidenden geistig-moralischen Erlebnissen seiner Jugend zurück.

Rückkehr aber ist der «Doktor Faustus» noch in ganz anderem Sinne, Rückkehr nach Deutschland nämlich. Jene Rückkehr, die ungeduldig und unberufen im Augenblick der deutschen Katastrophe von Thomas Mann gefordert worden war, hier, im «Doktor Faustus» ist sie vollzogen. Es ist eine Rückkehr ins Deutsche im gegenständlichsten Sinne, ins Heimatliche, ins Lübeckische sogar, aus dem die «Buddenbrooks» hervorgegangen waren.[3] Die waren freilich selbst schon eine Rückkehr gewesen, ein Eintauchen in die Vergangenheit, gestaltete Erinnerung an Elternhaus und Umwelt, an Landschaft und Atmosphäre der Kindheit, einbezogen in das beklemmende Problem des jungen Thomas Mann: die Geburt des Künstlers aus der Dekadenz. Rund fünfundzwanzig Jahre nach dem Erstlingsroman, bei der 700-Jahr-Feier der Stadt Lübeck, hält dann Thomas Mann die Festrede, eine Rede freilich, die es nicht so sehr mit 700 Jahren lübeckischer Geschichte zu tun hat, als mit der Entstehung der «Buddenbrooks». Aber nicht von der Ableitung des Künstlers aus dem Niedergang ist jetzt die Rede, sondern von seiner Verwurzelung im Bürgerlichen, von «Lübeck als geistiger Lebensform». Der hier auf seine Vaterstadt zurückblickt, tut es nicht als einer, der aus dem Bürgertum in die Kunst entwichen ist, sondern der seiner Kunst und seinem Dasein die breite Basis einer soliden Lebensbürgerlichkeit gegeben hat, als deren höchste Verkörperung ihm nun das Genie Goethes erscheint. Im Grunde war diese Entwicklung in den «Buddenbrooks» schon angedeutet: wie hier an das Kernmotiv mit all seiner Morbidität, das den Ausgangspunkt gebildet hatte, so viel gesundes Fleisch angewachsen war, daß der Gesamteindruck nicht von der Verfallsthematik, sondern von der Breite und Behaglichkeit der Lebensschilderung bestimmt wird, das ist ein Bild desselben inneren Gesetzes, das in des Dichters ganzem Leben zum Ausdruck kommt. Dieses Gesetz heißt Wachstum, beständiges Weiterschreiten: vom Norddeutschen ins Europäische, von der Familiengeschichte in den Mythos, vom Stadtbürger zum Weltbürger.

Als Weltbürger, 1945 in Washington, englisch redend, wendet Thomas Mann dann noch einmal den Blick auf Lübeck zurück. Doch sind es jetzt ganz andere Erinnerungen, die er heraufbeschwört; ein Lübeck taucht auf, das seinerzeit in der Rede und auch in den «Buddenbrooks» noch nicht vorhanden gewesen war: das Lübeck des Mittelalters. Im frühen Roman hatte der Blick in die Vergangenheit nicht weiter als bis zur vierten Generation gereicht; jetzt erinnert sich Thomas Mann, daß Lübeck schon im zwölften Jahrhundert bestanden hat und daß dies *alte* Lübeck noch immer existiert. Damit ist keineswegs nur das Stadtbild gemeint, die gotischen Türme, die winkligen Gassen, die Totentanz-Malereien der Marienkirche, sondern die Atmosphäre, in der, wie es ihm jetzt erscheint, etwas von der «Hysterie des ausgehenden Mittelalters, etwas von latenter seelischer Epidemie» hängen geblieben war. Man konnte sich denken, findet er nun, «daß plötzlich hier eine Kinderzug-Bewegung, ein Sankt Veitstanz, eine Kreuzwunder-Exzitation mit mystischem Herumziehen des Volkes oder dergleichen ausbräche»; er spürt einen «altertümlich-neurotischen Untergrund», von dem in den «Buddenbrooks» noch mit keinem Wort die Rede gewesen war.[4] Dort wird ja auch das «Herumziehen des Volkes», die Zusammenrottung der 48er-Revolution etwa, von einem behäbig-jovialen Wort des Konsuls Buddenbrook mühelos zum Stehen gebracht, und der «unbestimmte Schmerz» in Christian Buddenbrooks linkem Bein ist allenfalls das einzige, was entfernt an Veitstänze erinnern könnte. Thomas Mann selbst kann nicht umhin, sich in seiner Rede zu unterbrechen und zu fragen, warum er «heute und hier» denn diese frühen Erinnerungen beschwöre. Und die Antwort, die er sich gibt: daß ihm daran liege, «eine geheime Verbindung des deutschen Gemütes mit dem Dämonischen zu suggerieren»,[5] diese Antwort macht es ja ganz offenbar, daß es sich in diesem Bilde Lübecks durchaus nicht um «frühe Erinnerungen» handelt, sondern daß Veitstänze und Volkszüge ganz anderer Art den Blick des Dichters geschärft haben. Ausbrüche des Massenwahns, Exzesse finsterer Leidenschaft, die die Phantasie des modernen Europäers sich bis vor kurzem höchstens in längst vergangenen Zeiten hatte vorstellen können und die nichtsdestoweniger grauenvolle Wirklichkeit geworden waren, — solche Erfahrungen mußten allerdings die Betrachtung nahelegen, daß unter der glatten Oberfläche barbarische Kräfte geschlafen hatten, Kräfte, die zwar lange unsichtbar, aber deshalb nicht tot gewesen waren und die nur auf den beschwörenden Anruf gewartet hatten, um wieder ans Tageslicht zu steigen und mit der Wut entfesselter Dämonen ihr Schreckenswerk zu verrichten. Das Lübeck aber, an das sich der alte Thomas Mann in Washington «erinnert», ist nicht dasselbe Lübeck, in dem die Kindstaufen, Hochzeiten und Handelsgeschäfte der Buddenbrooks sich abgespielt hatten, sondern die Vorstellung einer Stadt, an der das Wissen um das Ende mitgeformt hat; es gleicht einer Landschaft, die von den Flammen, die später aus der Unterwelt hervorbrechen und sie verzehren sollen, schon angeglüht ist.

Die «Buddenbrooks» waren ein Roman des Verfalls gewesen. Aber dem melancholischen Betrachter, der rund fünfzig Jahre nach der Entstehung des Romans, sechs Kilometer von der russischen Grenze, vor dem «mondbeschienenen Fassadenrest» des Buddenbrookschen Hauses in Lübeck steht, erscheinen sie nur wie ein Prolog. In der Auflösung dieser Familie war ja noch immer eine soziale Struktur, eine urbane Form sichtbar gewesen, Verfall war wie wenn eine Frucht vom Baume fällt; «jetzt aber weichen die Wurzeln selbst auf: eine Gesellschaft zerbricht, und schaudernd erlebt man in solcher Stunde sinnbildlich den paranoischen Selbstvernichtungstrieb Europas und die Nähe eines bedrohlichen anderen Erdteils mit riesigen Bevölkerungsmassen, mit einer unerschöpflichen Vitalität.»[6]

Ein nationaler Zusammenbruch, der, anders als eine Niederlage, der wie ein Ende erscheint, läßt auch den Weg, der daraufzu geführt hat, anders ansehen. Im Schatten solchen Endes verändert sich auch Goethes Gestalt; immer noch ist er der größte, aber nicht mehr der repräsentativste Deutsche. Zwar hatte er auf großartigste Weise die deutschen Gegensätze zusammengefaßt, die dämonischen sowohl wie die rationalen, oder, wie Thomas Mann es so oft ausdrückt, die Lutherischen und die Erasmischen Kräfte. Aber diese Zusammenfassung ist eine Goethesche, keine deutsche Leistung: «In Wirklichkeit,» sagt Thomas Mann, «hat sich Deutschland immer näher zu Luther als zu Goethe gehalten».[7] Und selbstverständlich noch viel näher zu Luther als zu Erasmus. Für einen Augenblick, in Goethe, war der Ausgleich gelungen, dann bricht die Entwicklung wieder auseinander. Von ihrer Endphase handelt der «Doktor Faustus».

Was aus der einen Strömung geworden ist, derjenigen, die sich von Erasmus herleitet, das demonstriert Thomas Mann an der Figur des Erzählers, dem der Roman in den Mund gelegt ist. Serenus Zeitblom, Professor der klassischen Philologie, der in stiller Gelehrtenstube die Lebensgeschichte seines bewunderten Freundes aufzeichnet, während Deutschland im zweiten Weltkrieg zugrunde geht, Zeitblom, ein ohnmächtiger, erschreckter Zuschauer tragischer Untergänge, ist ein Mann des Friedens, der dem Krieg nicht entgeht, ein feiner Betrachter, der keine Katastrophe herbeiführt und keine verhindert, voll guter Absichten, echter Sorge, liebenden Verständnisses, doch ohne Kraft. Es ist offensichtlich, daß es Thomas Mann nicht um diesen einen Zeitblom geht, sondern um eine ganze «unpolitische» Schicht, der die Bewahrung der humanistischen Tradition in die Hand gegeben war, und mit ihr die pädagogische Aufgabe, sie zum Leben zu bringen, und die an dieser Aufgabe versagt hat.

Der Humanismus hat in Deutschland keine Geschichte gehabt und keine gemacht; die wurde von Luther gemacht. Thomas Mann gesteht, daß er ihn, unbeschadet seiner Größe, nie geliebt habe. Das «Separatistisch-Antirömische, das Anti-Europäische» an Luther ängstige ihn, wie er erklärt, und er macht Luther für viel deutsches Unglück mitverantwortlich, für den traurigen Ausgang des Bauernkrieges, für das charakteristisch deutsche Auseinanderfallen von Kühnheit im Spekulativen und Unmündigkeit im Politischen, für die seltsame Verkehrung, die der Begriff der Freiheit unter den Deutschen gefunden habe. Luther, in eigentümlicher Paradoxie, ist für Thomas Mann ein Revolutionär, der die Kirche bekämpft und das Christentum konserviert, und ein Konservativer, der den Glauben verteidigt und die Kritik in Bewegung bringt. «Die deutsche idealistische Philosophie,» sagt Thomas Mann, «die Verfeinerung der Psychologie durch die pietistische Gewissensprüfung, endlich die Selbstüberwindung der christlichen Moral aus Moral, aus äußerster Wahrheitsstrenge — denn das war die Tat — oder Untat — Nietzsches —, dies alles kommt von Luther.»[8]

Mit Nietzsche endet die Linie, die von Luther herführt. Auch Adrian Leverkühn, die Hauptfigur des «Doktor Faustus», kommt von Luther her. Thomas Mann gibt ihm bäuerliche Vorfahren, wie Luther sie hatte, siedelt ihn im Thüringischen an, in einem erfundenen Kaisersaschern, das seelisch weithin von Zügen des ausgehenden Mittelalters bestimmt ist, so wie Thomas Mann es an Lübeck empfunden hatte und nun, vielfach in wörtlicher Entsprechung, auf Leverkühns Heimatstadt überträgt. Es ist eine seelische Landschaft von «altertümlich-neurotischer Unterteuftheit»,[9] in der Adrian Leverkühn aufwächst, und von der der Erzähler seines Lebens, Serenus Zeitblom, sich mit Recht fragt, ob sie ihn jemals wieder freigegeben habe. Dieser Charakter der Unterteuftheit, der Kaisersaschern zugesprochen wird, trifft freilich auf alles und jedes in dieser Erzählung zu; «Unterteuftheit» drückt eine Richtung nach der Tiefe hin aus, einen Bezug zum Unterirdischen nicht im «bürgerlichen» Sinne der Verwurzelung, sondern in dem der Bodenlosigkeit, des nicht Geheuren, des Abgründigen. Und da dies keine natürlich gewachsene Altertümlichkeit, sondern eine vom modernen Menschen ersehnte und herbeigeführte, sozusagen ein Rückfall in die Altertümlichkeit ist, so muß ihr das Beiwort «neurotisch» gegeben werden. Ganz ähnlich ist auch die Zeit unterteuft; nicht im ehrwürdigen Gewande der Tradition erscheint die Vergangenheit, nicht als etwas das trägt, etwas worauf man ruhen könnte; auch sie ist ein Abgrund; zurückgehen heißt, sich ins Unsichere begeben, ins Primitive, Archaische zurückfallen, sich mit den dunklen, vor-kulturellen Mächten einlassen.

Unterteuft sind weiterhin die beiden seelisch-geistigen Disziplinen, die in Leverkühns Leben die Hauptrolle spielen: Theologie und Musik. Adrian und Kaisersaschern, das ergibt, nach Zeitblom, Theologie, und dem Studium der Theologie wendet sich Leverkühn auch zunächst zu. Es ist freilich eine seltsame und zweideutige Wissenschaft, die ihm an der Universität Halle entgegentritt. In den Vorlesungen über die «Heilige Geschrift»,

die der Professor Ehrenfried Kumpf hält, und die auch sprach-
lich dem Lutherdeutsch angenähert sind, in der Person Kumpfs
selber, die Lutherzüge trägt — nicht im Sinne der Nachfolge
sondern der Parodie —, ragt die Vergangenheit auf skurril-
gespenstische Weise in die Gegenwart herein; im Kolleg des
Dozenten Schleppfuß aber neigt sich die Gegenwart neurotisch
in die Vergangenheit zurück, schlägt Gotteswissenschaft um in
Dämonologie.

Die Wendung von der Theologie zur Musik aber, die Lever-
kühn vollzieht, ist, jedenfalls für Thomas Mann, bei weitem
nicht so erstaunlich, wie sie dem Leser zunächst erscheinen mag.
Denn die Kunst ist eben im Grunde nichts anderes als was die
Theologie auch ist: Zauber und Dämonenbeschwörung. In der
Magie finden beide Bereiche ihren gemeinsamen Nenner. Schon
für Luther hatten Theologie und Musik nahe zusammengehört,[10]
und diese selbe Verbindung, gefährlicher freilich, näher am
Untergang, kehrt wieder im dämonisch-neurotischen revenant
Luthers: in Nietzsche. Nietzsches tiefe Beziehung zur christlichen Theologie bedarf keines Beweises, und was die Musik
betrifft, so sieht das Arion-Kapitel von Bertrams Nietzsche-
Buch, das schwerlich ohne Wirkung auf Thomas Mann geblieben ist, in ihr geradezu die Mitte von Nietzsches Wesen. Als die
Darstellung einer nicht gelebten Möglichkeit Nietzsches erscheint der Roman unter solchem Aspekt; das bekannte Wort,
das Nietzsche anläßlich der «Geburt der Tragödie» auf sich
selbst prägte, und mit dem später Stefan George seine Verherrlichung Nietzsches tief bedeutsam schließt: «sie hätte singen,
nicht reden sollen, diese Seele!», dies Wort Nietzsches könnte
sehr wohl der Keim von Thomas Manns Roman gewesen sein.

Viele Einzelheiten des Romans sind in der Tat ostentativ
aus Nietzsches Biographie übernommen: die Geschichte des
Bordellbesuches zum Beispiel folgt, worauf Thomas Mann selbst
hingewiesen hat, dem Bericht, den Nietzsche Paul Deußen gegeben hat;[10a] und das Faktum der luetischen Infektion selbst ist
nur die drastischste, aber durchaus nicht die einzige Verdeut-

lichung der tiefen Beziehung zwischen Krankheit und genialer Leistung, die den Kern des Romans bildet. Wie nach mancherlei essayistischen Bemühungen das *begnadete* Genie schließlich im Goethe-Roman seine Verleiblichung gefunden hatte, so findet nun das zur Kunst *verdammte* die seine: im Nietzsche-Roman. Und doch ist es auch wieder Nietzsche nicht, von dem der Roman handelt, noch auch geht es, trotz des faszinierten Interesses an der Musik und trotz der stupenden Fachkenntnisse, die Thomas Mann entfaltet und die mit Recht bewundert worden sind, nicht eigentlich um die Musik, sondern um den Künstler Thomas Mann. Denn die Erörterung der Musik gibt ja schließlich auch dem Dichter die Gelegenheit, Wesentliches über seine eigene Situation zu sagen: die des Meisters nämlich, der eine späte Kunstform handhabt. Das ungemein Bewußte, die ins äußerste getriebene Differenzierung, die Versuchung zur Virtuosität, ja sogar die Nötigung dazu, da das Einfache für einen entwickelten Geschmack sich als nicht mehr möglich erweist, der Eklektizismus, — all dies sind Erscheinungsformen eines Spätstils.[11] Die bewußteren unter Thomas Manns Zeitgenossen, Hofmannsthal etwa oder Rilke, Valéry, Gide haben diese Lage kaum weniger stark empfunden. Shaws «Saint Joan» ist ein markantes Beispiel solchen Spätstils, in dem ein kritischer Intellekt hohen Grades mit der Legende naiverer Zeiten aufs neue spielt; es ist die Anwendung der Psychologie auf den Mythos, von der Thomas Mann so gerne spricht. Während weniger bewußte Talente wie Gerhart Hauptmann in dieser Situation immer wieder ins Naiv-Epigonale abgleiten, entgeht Thomas Mann dieser Gefahr durch eine stilistische Haltung, die er mit Vorliebe als «parodistisch» bezeichnet. Darunter ist das beständige und spielerische Vergleichen eines bestimmten Vorwurfs, bestimmter Motive, Situationen und Formen mit früheren Gestaltungen zu verstehen.

Eine solche Haltung entspringt der Uebersättigung am bereits Vorhandenen und Vorgeformten, der inneren Nötigung zum immer neuen Drehen und Wenden des schon Bekannten. Die

Geschichte des Nach-Wilhelm Meisterschen Bildungsromans ist ein Beispiel für die epigonale Abnützung einer Gattung. Genau genommen hatte freilich auch Goethe schon mit ähnlichen Schwierigkeiten zu kämpfen. Verglichen mit Homer, Dante oder Shakespeare ist er ein Spätling; immer wieder findet er sich in Zuständen, in denen es gilt, nicht nur mit zu gestaltenden Erlebnissen, sondern zugleich mit schon gestalteten Formungen solcher Erlebnisse fertig zu werden. Der Augenblick, in dem nicht nur die Welt, sondern der Dichter selbst und die dichterische Existenz zum Gegenstand des künstlerischen Schaffens wird, in dem die Kunst anfängt, nicht über die Regeln des Handwerks sondern die Problematik ihres Wesens zu reflektieren, dieser Augenblick scheint uns den Eintritt einer Spätepoche anzukündigen. Es ist deshalb wohl kein Zufall, daß das Thema des Künstlers als Künstler bei Goethe seine erste große deutsche Verkörperung erfährt. Schon dem «Tasso» liegt die Erkenntnis zugrunde, die dann bei Thomas Mann von Tonio Kröger bis zu Adrian Leverkühn immer wieder abgewandelt wird: daß es bedenklich, ja verhängnisvoll ist, ein Künstler zu sein, und daß man sich damit entscheidend und schmerzvoll von der Gesellschaft abhebt, in der man lebt. Wie der «Doktor Faustus» ist auch der «Tasso» eine Höllenfahrt; gleichzeitig freilich, wie alle Goetheschen Tragödien, eine Selbstbefreiung, eine Bannung drohender Gefahr. Dieselbe autobiographische Bezogenheit läßt sich auch für den «Doktor Faustus» feststellen; ebenso fraglos ist, daß er kein Ichroman ist, daß seine Bedeutung weit über das Biographische hinausgeht. Genau so wie der «Tasso» nicht nur von Tasso handelt, noch auch nur von Goethe, sondern vom künstlerischen Menschen, so handelt auch der «Doktor Faustus» trotz schonungsloser Verwertung biographischer Elemente nicht nur von Thomas Mann. Schon die Tatsache, daß der Held des Romans nicht Dichter sondern Musiker ist, bedeutet mehr als eine leichte Verschiebung, mehr als das Vornehmen einer Maske, hinter der es sich nur um so ungestörter vom eigenen Ich reden läßt; es ist der Versuch, das

Thema vom Persönlichen ins Typische zu übertragen. Denn unter allen Künsten scheint für Thomas Mann die Musik nicht nur diejenige zu sein, die am meisten *Kunst* ist, sondern zugleich diejenige, die im eigentlichsten und repräsentativsten Sinne *deutsch* ist. So urdeutsch ist sie für ihn, daß ein großer Musiker ihm nicht nur zum Repräsentanten aller Künste sondern des Deutschtums überhaupt wird.

Aus solchen Erwägungen heraus hält Thomas Mann es für eine Unvollkommenheit, ja für einen Fehler der größten deutschen Dichtung, daß sie ihren Helden nicht mit der *Musik* in Verbindung bringt. Faust müßte, so findet er, musikalisch, müßte Musiker sein.[12] Und wenn man sich dann klar macht, daß Thomas Manns Roman ja nicht «Adrian Leverkühn» sondern «Doktor Faustus» heißt, so kann ja wohl kein Zweifel daran bestehen, daß Thomas Mann sich mit diesem herausfordernden Titel in vollem Bewußtsein der eigenen Kühnheit an die Seite von Goethes Dichtung begibt. Nicht daß Thomas Mann es damit «besser» machen wollte als Goethe, aber anders gewiß. Anders, weil seine Idee des genialen Menschen offenkundig von der Goethes verschieden ist, und weil unter dem Eindruck der deutschen Gegenwart sich auch seine Idee vom deutschen Menschen gewandelt hat. Und so nimmt Thomas Mann eine doppelte «Korrektur» am Faust vor: die eine an der Figur wie Goethe sie geschaffen hat, die zweite an der Vorstellung, die sich die Mehrzahl der Deutschen von Goethes «Faust» gemacht hat als von einer ringenden, strebenden, redlich bemühten, sich stetig vervollkommenden Seele, die sich im ganzen aus eigener Kraft, wenn auch mit ein wenig Nachhilfe von oben, ihre Erlösung verdient. Dieser populären Faustvorstellung gegenüber ist Thomas Manns «Faust» ein hochbegabter, schöpferischer, vom Hochmut der Größe und der Einsamkeit der Auserwähltheit gezeichneter, unglücklicher, zu höchster Leistung emporgesteigerter und dem Chaos verfallener, begnadeter und besessener, tragisch untergehender Mensch. Das heißt, und darin liegt die überraschende Wendung in der Geschichte der Faustsage und der entscheidende Gegensatz zu Goethe: Thomas Manns «Faust» wird, wie der Faust des Volksbuchs, wieder vom Teufel geholt. Oder, um statt der mythologischen Terminologie vergangener Zeiten die Ausdrucksweise der modernen psychologischen Epoche, in der Thomas Manns Roman ja schließlich spielt, zu verwenden: er geht im Wahnsinn zugrunde.

Mit der Figur des Teufels hat es also bei Thomas Mann eine eigene Bewandtnis. Man hat, angesichts des «Doktor Faustus» von einer «Säkularisation des Teufels» gesprochen. Durchaus mit Recht macht Erich Kahler in seiner geistreichen Studie über den «Doktor Faustus» geltend, daß das alte Spiel zwischen Himmel und Hölle in die menschliche Person hereingeholt sei, daß Gott und der Teufel säkularisiert seien.[13] Daß der Teufel, mit dem Adrian Leverkühn nachts in einem alten Palazzo des italienischen Städtchens Palestrina diskutiert und mit dem er einen Pakt auf vierundzwanzig Jahre abgeschlossen hat, nicht «wirklich» sondern lediglich eine Wahnvorstellung Adrians ist, daran ist wohl kein Zweifel möglich. Aber die Säkularisierung des Teufels ist nicht das eigentlich Neue an Thomas Manns Roman; die ganze Teufelsfigur ist überdies ziemlich unbekümmert und bis in Einzelzüge hinein aus Dostojewskis «Brüdern Karamasow» übernommen. Aber säkularisiert ist schon Goethes Teufel. Wenn es richtig ist, daß Eugene O'Neill vorgeschlagen hat, den Mephisto in der Maske Fausts spielen zu lassen, so drückt sich in einem solchen Vorschlag die treffende Erkenntnis aus, daß Mephisto nicht ein Ungeheuer mit Schweif und Klauen sondern ein Teil von Fausts eigener Seele ist. Der Gedanke, daß Himmel und Hölle nicht mythologische Orte sondern Seelenzustände sind, taucht überdies schon bei Marlowe auf; als Faustus sich erkundigt, wo die Hölle sei, muß er sich von Mephistophilis sagen lassen, daß er schon mitten in der Hölle ist, denn

> Hell hath no limits, nor is circumscrib'd
> In one self place; for where we are is hell,
> And where hell is, there must we ever be.

Wenn also der Teufel bei Thomas Mann noch immer als Person auftritt, so tut er das auf parodistische Art; nicht was er sagt, aber wie es vorgebracht wird, gehört zu dem besonderen Humor des Buches, eine Qualität, die Thomas Mann durchaus ernsthaft für diese Beschreibung einer Höllenfahrt in Anspruch nimmt. Aber gerade dies Element des Parodistischen ist auch Goethes Drama keineswegs fremd. Dem Stofflichen des Volksbuchs gegenüber wahrt Goethe ironischen Abstand; er spielt, auf geistreiche Art, mit den Requisiten der Sage; der Teufel, mit dem der Herr so menschlich spricht, vergißt selbst nie, daß er auf dem Theater ist, noch vergißt es sein Dichter, und mit Ausnahme der Gretchentragödie ist der ganze Faust, vom Prolog bis zum Epilog im Himmel, von der romantischen bis zur klassischen Walpurgisnacht ein erhaben-scherzhaftes Spiel mit den großen Mythen der Menschheit, von denen keiner mehr wörtlich genommen ist.

Thomas Mann hat einmal, in einer Zürcher Rede über den «Ring des Nibelungen» von Richard Wagners Beschäftigung mit der «Klassischen Walpurgisnacht» gesprochen, und dabei Wagners romantische und Goethes ironische Art, den Mythos zu beschwören, einander gegenübergestellt. «Größe, unzweifelhafte Größe da wie dort», ruft er aus. «Aber die Großartigkeit der Goetheschen Vision ist ohne jeden pathetischen und tragischen Akzent; er celebriert den Mythos nicht, er scherzt mit ihm, er behandelt ihn mit liebevoll vertraulicher Neckerei, er beherrscht ihn bis ins Kleinste und Entlegenste und macht ihn im heiteren, witzigen Wort mit einer Genauigkeit sichtbar, die mehr von Komik, ja von zärtlicher Parodie als von Erhabenheit hat. Es ist eine mythische Belustigung, dem Welt-Revue-Charakter der Faustdichtung ganz gemäß.»[14] Wieder einmal, wie er es schon mit Schiller, mit Dostojewski, mit Nietzsche getan hat, konfrontiert Thomas Mann Goethe mit einem großen Gegenspieler. Wagner und Goethe stehen nun gegeneinander als «zwei gewaltige und kontradiktorische Ausformungen des vielumfassenden Deutschtums, die nordisch-musikalische und die mittelländisch-plastische, die wolkenschwer-moralistische und die erleuchtet-himmelsheitere, die volk- und sagenhaft urtümliche und die europäische, Deutschland als mächtigstes Gemüt und Deutschland als Geist und vollendetste Gesittung ».[15] Wenn also Thomas Mann, der seinen Begriff vom Musiker ja an Wagner gebildet hat, einen Musiker zum Helden seines Romans macht, so wird man allein daraus schließen können, daß dieser Roman, selbst wenn er ein Faust-Roman ist, Goethe fernsteht, — so fern wie Goethe selbst der Musik stand. Und bezeichnenderweise hat der « Doktor Faustus » — und der Titel deutet es ja schon an — vielmehr Beziehung zum Volksbuch als zu Goethes « Faust ». Auch darin bedeutet er eine « Rückkehr », daß Thomas Mann auf ältere Formen der Sage zurückgreift. So ist der Vertrag mit dem Teufel keine Wette mehr, sondern wieder, wie im Volksbuch, ein Pakt mit gegenseitigen Verpflichtungen und einer Befristung auf vierundzwanzig Jahre. Die theologischen Befragungen der alten Sage sind wieder da, die Erkundigungen nach der « Hellen und ihrer Spelunck », die Exploration des Weltalls, der Abschied von den Freunden vor dem Untergang, die Weheklage. Bis auf versteckte Kleinigkeiten erstrecken sich diese Beziehungen mitunter: die Tiefsee-Expedition etwa, von der Adrian seinem Freund und Biographen berichtet, will er mit einem Mr. Capercailzie unternommen haben. Capercailzie ist ein schottisches Wort und bedeutet Auerhahn; Auerhahn aber ist der Name eines höllischen Geistes aus der Volkssage.[16] Offensichtlich ist das Parodie, und daß Thomas Mann mit der Sage sein Spiel treibt, ist zweifellos; aber mit einem spielt er nicht: mit dem tragischen Kern der Fabel. Zwar gibt er sich mit der Figur des Teufels an sich wenig Mühe; unnötig zu betonen, daß es diesen Teufel nicht « gibt » und auch garnicht geben soll, er ist nichts als ein Vehikel für Leverkühns Gedanken. Aber wenn es den Teufel nicht gibt, eines gibt es schließlich doch: das Böse. Und in der Ueberzeugung von der ungeheuren Macht des Bösen steht Thomas Mann nun wirklich dem Volksbuch, der alten christlich-theologischen Fassung des Stoffes viel näher als Goethe. Man könnte zwar einwenden, daß es sich bei Thomas Mann garnicht um das Problem von Gut und Böse handle, daß die moralische Frage vielmehr auf das ästhetische Gleis geschoben sei, was schon daraus hervorgehe, daß ein Künstler im Mittelpunkt des Romans stehe. Nicht der Mensch und die Sünde, wie im Volksbuch, sei das Thema, sondern das Genie und die Krankheit. Krankheit ist sozusagen der tragische Kaufpreis, den der Künstler erlegen muß, um die Höhe der Vollendung zu erreichen. Die Versuchung läge also darin, sich mit der Krankheit «einzulassen». Und tatsächlich tut Leverkühn dies ja auch ganz bewußt, obwohl er gewarnt wird, und er muß sich vom Teufel daran erinnern lassen, von einem Teufel, der nicht nur Goethe zitiert, sondern auch Thomas Mann, die Stelle aus dem Nietzsche-Vortrag nämlich, die sich auf Nietzsches dithyrambische Umschreibung des Begriffs der Inspiration bezieht. Es handelt sich um die berühmte Stelle aus dem «Ecce Homo», in der Nietzsche fragt: Hat Jemand Ende des neunzehnten Jahrhunderts einen deutlichen Begriff davon, was Dichter starker Zeitalter *Inspiration* nannten? — Nun, Thomas Mann ist dieser Jemand, er antwortet Nietzsche. Die «Erleuchtungen, Entzückungen, Elevationen», von denen Nietzsche berichtet, sie sind, nach Thomas Mann, «ein verderblicher Reizungszustand, der dem paralytischen Collaps höhnend vorausgeht», es sind «euphorische Schadloshaltungen und Ueberkompensationen», die zum Bilde der Krankheit gehören.[17] So verhält es sich zum mindesten in Nietzsches — und in Leverkühns — Fall, aber dieser Fall ist nur die extreme, katastrophale Steigerung eines allgemeinen Sachverhalts, der Verkoppelung von Krankheit und Produktivität, von Leiden und Auserwähltheit. In dieser — notwendigen — Verbindung aber der Höhe mit dem Abgrund liegt der tragische Aspekt des «Doktor Faustus».

Dieselbe Ambiguität liegt auch der außermenschlichen Natur zugrunde. Es ist zwar der Humanist Zeitblom, der kurzerhand von den «Horrendheiten der physikalischen Schöpfung»[18] spricht, aber ausgesprochen oder unausgesprochen geht die Frage, die einmal von einem der Theologie-Studenten nachdenklich aufgeworfen wird, durch das ganze Buch, die Frage nämlich, «ob die Welt wirklich das alleinige Werk eines gütigen Gottes ist oder nicht vielmehr eine Gemeinschaftsarbeit, ich sage nicht, mit wem.»[19] In der alten Sage hat ja nun auch, sobald es sich um die natürliche Welt und das Reich der Natur handelt, der Teufel seine Hand im Spiele. Auch bei Marlowe wird Faustus' Bemühen, in die Natur forschend und erkennend einzudringen, als teuflisch angesehen; vom Teufel holt Faustus sich Belehrung über den Stand der Sterne, den Lauf der Planeten, selbst über Pflanzen, Kräuter und Bäume. Gerade in diesem Wissensdurst sieht dann freilich eine spätere Zeit Fausts Anteil am Göttlichen, und bei Goethe ist nicht die Natur der Ort, wo Mephisto zu Hause ist und seine Macht entfalten darf, sondern Fausts Herz. Von der Natur hingegen erhofft Faust immer wieder Rettung, Stillung seiner Leiden; ihre heilenden Kräfte sind es, die ihm am Anfang des zweiten Teils Genesung bringen, aber schon in der ersten Monolog-Szene dringt mit dem Schein des Mondes, mit der Ahnung des weiten Landes ein Hauch der «lebendigen Natur» und ihres Friedens in seine Zelle. Ein Gang vors Tor, der Anblick des keimenden Frühlings erfüllen sein Herz mit der ganzen Zuversicht sich erneuernden Lebens; Wald und Höhle nehmen ihn auf, wenn er sich sammeln und fassen will; und selbst da, wo Fausts Unendlichkeitsstreben sich ins Weiteste und Fernste verliert, stürzt seine Phantasie nicht dem «Flug des Lichtes», den strudelnden Weltsystemen nach bis dahin «wo kein Hauch mehr weht» — wie es beim jungen Schiller heißt —, sondern bleibt im Greifbaren, mit Lerche, Adler, Kranich über den Seen und Fichtenhöhen einer immer noch vertrauten Landschaft schwebend. Noch die Hölle, im Volksbuch ein Ort so weit, «daß die Verdampten, so da wohnen müssen, kein Ende daran sehen mögen»,[20] wird auf heimatlichem Berge angesiedelt und ist durch einen tüchtigen Fußmarsch, den Knotenstock in der Hand, zu erreichen. Dies alles soll nicht heißen, daß Goethe die Natur zum Idyll macht; er war sich der zerstörenden Kräfte, die nicht weniger zu ihrem Bilde gehören, nur allzu bewußt. «Die Elemente sind... als kolossale Gegner zu betrachten», heißt es im «Versuch einer Witterungslehre»; sie sind nur durch die höchste Kraft des Geistes immer wieder im einzelnen Falle zu bewältigen. In dieser Haltung ringt Faust dem Meere sein Stück Land ab und verteidigt es; zwar höhnt Mephisto: «die Elemente sind mit *uns* verschworen, und auf Vernichtung läuft's hinaus»; doch ist nicht einzusehen, warum der Teufel, der ja das letzte Wort im Stück nicht hat, es gerade hier haben sollte. Zu tief gegründet ist in Goethe der Glaube, daß das Leben, in immer neuen Formen und Wandlungen, dem Tod überlegen ist, die Glut des Schöpferischen der Wut der Vernichtung, und daß «die Natur in sich selbst Gesetz und Regel trägt, jenem ungezügelten, gesetzlosen Wesen zu imponieren.»[21] Schrittweise dringt der Mensch ins Unbekannte vor, und was sind die letzten Szenen des «Faust» denn anderes als ein Symbol dieser Einsicht, indem von Stufe zu Stufe der Blick sich hinaushebt über das noch Faßbare, um zuletzt im nur noch zu Ahnenden, im Geheimnis, das freilich kein Böses sein kann, sich zu verlieren.

Von diesem Naturvertrauen, von der Naturfrömmigkeit der Goethezeit ist im «Doktor Faustus» nichts mehr zu finden. Die Art, wie Adrians experimentierender Vater «die Elementa spekuliert», hat nichts zu tun mit ordnender und verstehender Erforschung, sondern ist eine Rückkehr zur Alchimie, zu Zauber, Beschwörung und Magie. Es sind Versuche, von denen der Humanist Zeitblom berichtet, daß er sie zwar nicht gerne gesehen habe, doch daß er ihnen «gebannt» gefolgt sei. Nicht um Erleuchtung handelt es sich hier, sondern um Verdunkelung; nicht die Grenzen des Erkennbaren werden hier Schritt für Schritt hinausgeschoben, sondern das Rätselhafte, Unheimliche, Unergründliche rückt auf den Menschen zu. Von diesen Dingen ist gleich am Anfang des Buches die Rede, wie um ein Thema anzuschlagen, das in fortgesetzter Variation und Steigerung den ganzen Roman durchzieht, um schließlich in den Betrachtungen über das grotesk-fremdartige Leben der Tiefsee, den unfaßbaren Verhältnissen der Himmelskörper, dem Bild des «explodierenden Weltalls» zu kulminieren. Hier wird nicht das fromme Herz zum Lob des Schöpfers und der kosmischen Ordnung gestimmt, sondern das Grauen und der Schrecken beschworen. Nur zum Teil sind diese Fahrten ins Unbekannte parodistisch gemeint, als ironische Wiederholungen von Fausts Explorationen des Universums und der Hölle, wie sie im Volksbuch beschrieben sind; auf Goethe hin gesehen aber drücken sie eine völlig veränderte Stellung zur Natur aus. Was Goethe einmal von Hebel gesagt hat: daß er das Universum auf die anmutigste Weise verbauere,[22] ist nichts als, im engeren Bezirk, ein Analogon zu Goethes eigener Haltung. Hebel verbauert das Universum, Goethe humanisiert es. Er bezieht die Natur ein in den Bereich des Menschlichen; das Unauflösbare aber, das «Ungeheure, Unfaßliche» läßt er auf sich beruhen. Mitunter, wie am Ende von «Dichtung und Wahrheit», hat er es, um ihm überhaupt einen Namen zu geben, mit dem Begriff des «Dämonischen» umschrieben. Darunter ist keine böse, sondern vielmehr eine ethisch neutrale, weder göttliche noch teuflische Naturmacht zu verstehen, eine unberechenbare Kraft, die sich in allem Körperlichen und Unkörperlichen manifestieren kann und die die «moralische Weltordnung» zwar nicht aufzuheben, aber doch zu durchkreuzen vermag. In diesem Sinne erscheint das prachtvolle Gleichnis, mit dem Schiller einmal das Verhältnis Mignons und des Harfners zum Ganzen des «Wilhelm Meister» bezeichnet, zugleich wie ein Symbol der Stellung, die das Dämonische inmitten der moralischen Weltordnung einnimmt. Alles gehöre zusammen wie ein schönes Planetensystem, sagt Schiller, und er spricht vom achten Buch des «Wilhelm Meister», «und nur die italienischen Figuren», fährt er fort, «knüpfen, wie Kometengestalten und auch so schauerlich wie diese, das System an ein Entfernteres und Größeres an.»[23] Ganz ähnlich sind die Eumeniden in der «Iphigenie» an den

Rand der Szene verbannt, wirft die «ungeheure Opposition» der Tantaliden nur von ferne ihren Schatten in die Welt des Stückes, und wenn Mephisto im «Faust» zu den Füßen des Herrn sitzt, so heißt das, daß das Böse nur geduldet ist, in einer dienenden Rolle und um des Guten willen. Was Zeitblom seinen Primanern als die Aufgabe aller Kultur erklärt: das «Nächtig-Ungeheure» auf fromme und ordnende Weise in den Kultus der Götter einzubeziehen, — bei Goethe ist es geleistet. Im «Doktor Faustus» aber sprengt dies «Nächtig-Ungeheure» die Fesseln, in die der Geist des Gesetzhaften es gelegt hat; nicht mehr ist das Dämonische nur ein schweifendes Element, das kometenhaft in die Bezirke der Ordnung einbricht, sondern der Urgrund, aus dem die Welt hervorgegangen ist.

Schneidendster Ausdruck dieser Weltverzweiflung ist der gräßliche Tod des Knaben Echo, des lieblichen Kindes, an dem Adrians Herz hängt. Dies schauerliche Ereignis hat keinerlei Beziehung zum Bereich des menschlich Faßbaren mehr; daß er von feindlichen Mächten getroffen werden soll, daß ihm dies Kind nicht gegönnt ist, daß es in seiner «giftigen» Sphäre nicht gedeihen konnte, — all dies sind offensichtlich Wahnvorstellungen Adrians. Aber dem blinden Zuschlagen, dem brutalen Triumph des völlig Sinnlosen gegenüber nimmt selbst die verzweifeltste Sinngebung beinahe die Qualität des Trostes an, und verglichen mit dem herzzerreißenden Elend dieser Vernichtung bekommt sogar Adrians eigener Untergang einen wenn auch tragischen Sinn. Denn in Adrians Fall ist ja auf eigentümliche Weise der Untergang mit der Größe verknüpft, und es hält schwer zu entscheiden, ob der Untergang das Resultat der Größe ist, oder nicht vielleicht die Größe aus dem Untergehen resultiert. In der gefährlich zweideutigen Dämonologie, die im Roman von dem Dozenten Schleppfuß vertreten wird, ist ja nun auch mit Nachdruck von der dialektischen Verbundenheit des Bösen mit dem Heiligen und Guten die Rede. Abirrung sei es, so lehrt Schleppfuß, zu behaupten, Gott lasse das Böse zu um des Guten willen. Die wahre Rechtfertigung Gottes in Ansehung des «Schöpfungsjammers» bestehe in seinem Vermögen, aus dem Bösen das Gute hervorzubringen.[24] In seinem spöttisch-melancholischen Tonfall sagt Adrian das gleiche: «vielleicht», meint er, «muß man das Gute die Blüte des Bösen nennen — *une fleur du mal*».[25]

Eine Blüte des Bösen ist auch die Kunst: sie entspringt der Krankheit. Diesen Sachverhalt, der die geniale Erleuchtung an den physischen Niedergang knüpft, Adrian plausibel zu machen, ist ja des Teufels großes Anliegen in der Unterredung, die im Mittelpunkt des Buches steht. Es ist dabei nicht etwa so, daß der Krankheit an sich schon steigernde oder auszeichnende Wirkung innewohnt — Baptist Spengler, der ebenso krank ist wie Adrian, ist krank wie gesund derselbe Philister —, eine gewisse Disposition muß der Krankheit entgegenkommen. Dann aber vermag sie den von ihr Befallenen, den ihr Zugeneigten muß man genauer sagen, in die tödlichen Höhen des Schöpferischen emporzutreiben. Das ist an sich keine neue These Thomas Manns; in gemäßigterer, bürgerlicher Sphäre hatten schon die «Buddenbrooks» die gleiche Spannung ausgedrückt; auch hier schon hat die Krankheit ihre Kompensationen: das Leiden führt zum Geist, der Verfall bereitet der Kunst den Weg. Was aber im «Doktor Faustus» viel schärfer beleuchtet wird, ist der moralische, ja tragische Aspekt der Frage. Als moralisches Phänomen, als eine «Form der Liederlichkeit» nämlich hatte Settembrini im «Zauberberg» die Krankheit angesehen und war als einseitig abgefertigt worden, als ebenso einseitig wie sein Gegner Naphta, für den sie kurzerhand das höhere Prinzip bedeutet hatte, auf dem die Würde und Vornehmheit des Menschen beruht. Hans Castorp entscheidet sich ja auch gegen beide; gegen Settembrini, indem er sich mit der Krankheit *einläßt,* gegen Naphta, indem er ihr *absagt,* und er geht, vertraut geworden mit Tod und Krankheit, doch ohne ihnen zu verfallen, bereichert und gereift aus dieser Versuchung hervor. Dies ist zwar nicht der normale Weg ins Leben, sondern der «schlimme», das heißt, der über den Tod führende geniale; aber was hier genial genannt wird, ist mit dem «Doktor Faustus» verglichen noch immer fast normal. Auch handelt es sich bei Hans Castorp ja ausdrücklich um einen *normalen* jungen Mann, der zum Lebensdienst erzogen werden soll und sich auch willig erziehen läßt, und der in einer entscheidenden Stunde seines Lebens gelernt hat, daß der Mensch «um der Güte und der Liebe willen dem Tode keine Herrschaft einräumen soll über seine Gedanken».[26] Für den genialen Musiker Leverkühn aber bedeutet Krankheit nicht einfach eine Erfahrung, an der sich sein Wesen erweitert, sie ist vielmehr die Grundbedingung seines Daseins überhaupt. «Genie», sagt Zeitblom und spricht damit gewiß die Meinung Thomas Manns aus, «Genie ist eine in der Krankheit tief erfahrene, aus ihr schöpfende und durch sie schöpferische Form der Lebenskraft.»[27]

Von der Einsicht in diesen Zusammenhang bis zum *Entschluß,* sich ihm freiwillig zu unterwerfen, ist es freilich ein großer Schritt, und angesichts der Bereitschaft, geniale Leistung um solchen Preis tatsächlich zu erkaufen, mag ein Gefühl des Frevelhaften unabweisbar sein. Ohne diesen Aspekt des Frevelhaften hätte ja auch die Gegenwart des Teufels in der Erzählung keinen Sinn; seine Anwesenheit kann, ganz gleich wie man die parodistischen Absichten Thomas Manns auch einschätzt, nur eines bedeuten: es handelt sich in Adrians Fall nicht nur um Tragik, sondern um Schuld. Ausdrücklich beruht dieser Teufelspakt auf einer Bedingung. Sie heißt: Du darfst nicht lieben. Genau genommen freilich brauchte der Teufel diese Bedingung garnicht zu stellen, denn Adrian hat sie bereits erfüllt, und er wird sie, daran ist nicht zu zweifeln, weiterhin erfüllen, einfach weil er garnicht anders kann. Das heißt, aus der mythologischen in die psychologische Sphäre übertragen: Adrian macht sich in dem als Unterredung mit dem Teufel maskierten Selbstgespräch die Grundbedingungen seines Künstlertums klar. Es beruht auf einem von ihm selbst als verbrecherisch empfundenen Sich-Einlassen mit der Krankheit und in einer extremen menschlichen Isoliertheit, die wiederum von seinem Künstlertum wesensmäßig nicht zu trennen ist, die er selbst aber als Hochmut und damit als Schuld empfindet. Man wird geneigt sein, dies als *tragische* Schuld zu betrachten, das heißt als Schuld, für die der Mensch im gewöhnlichen Sinne des Wortes «nichts kann», weil sie mit seinem Wesen gesetzt ist, die überdies mit Vorzügen höchsten Ranges verbunden ist, und die nichtsdestoweniger *Schuld* ist, Schuld, für die der Mensch verantwortlich gemacht wird.

Die unheimliche Kälte, die vom Teufel auf Adrian einströmt und die immer wieder erwähnt wird, ist nichts als die Kälte von Adrians eigener Natur, unter der er leidet, die er sich zum Vorwurf macht und die zugleich, sozusagen gattungsmäßig, zu seinem Wesen als Künstler gehört. Denn Künstler sein heißt bei Thomas Mann: vom Leben mit den Mitmenschen ausgeschlossen, abgesondert und vereinzelt zu sein. Selbst die zwei Versuche, die Adrian unternimmt, dieses Gesetz der künstlerischen Existenz zu durchbrechen, bestätigen es nur. Denn seine Absicht, Marie Godeau zu heiraten, verfolgt er mit solchem Ungeschick, daß man annehmen muß, etwas in ihm will die Angelegenheit unter allen Umständen zum Scheitern bringen. Der Knabe Echo aber wird ihm vom Schicksal, vom Zufall, genommen, woraus sein krankes Bewußtsein sich die Bestätigung holt: es soll nicht sein. Aber selbst wenn der Knabe ihm erhalten geblieben wäre, so wäre dies eine Beziehung gewesen, in der, um einen Ausdruck Rilkes zu gebrauchen, Gegenliebe nicht zu fürchten war. Das heißt, ganz gleich wie Adrian an diesem Kinde hängt, und wie sehr das Kind an ihm: von Liebe im Sinne entscheidender, unbedingt verpflichtender *Bindung,* von *Gemeinsamkeit* ist hier nicht die Rede.

Nun mag man es füglich bezweifeln, ob diese Bindungslosigkeit wirklich ein so allgemein bestimmendes Merkmal der künstlerischen Existenz ist, wie Thomas Mann annimmt. Wollte man aber dabei auf Goethe als den Typus eines viel tiefer ins Menschliche einbezogenen Künstlers hinweisen, so wird man finden, daß gerade in Goethes Fall Thomas Mann immer wieder betont hat, mit welcher Entschiedenheit Goethe sich allen ihm drohenden Bindungen zu entziehen gewußt hat. Damit sind nicht nur die häufigen und bekannten «Fluchten» gemeint, sondern weit mehr noch Goethes Bereitschaft, sich, wie in Lottes Fall, von Mädchen fesseln zu lassen, die bereits versagt waren, samt der — wie es Thomas Mann scheint, allzu großen — Willigkeit, fremden Anspruch unter allen Umständen zu respektieren.

Ueberdies steht Thomas Mann mit seiner These von der Isoliertheit des Künstlers durchaus nicht allein. Man muß sich deshalb fragen, ob nicht, was von so vielen Künstlern als ihr persönliches Schicksal erlebt und aus ihrer individuellen Besonderheit erklärt worden ist, am Ende nur der extreme Fall und besonders artikulierte Ausdruck eines allgemeinen Schicksals ist. Gerade im Fauststoff liegt ja von Anfang an, und lange bevor Faust zum Künstler gemacht worden war, das Motiv der Vereinzelung. Diese Vereinzelung, das heißt die beginnende Loslösung der Einzelseele aus der Gemeinschaft, dem Dogma, der kirchlichen Bindung, mußte dem noch halb im Mittelalter stehenden Menschen als sträfliche Sünde erscheinen. Von der Gewissensangst des sich befreienden, noch vielfach gebundenen Menschen handelt die frühe Faustsage, handelt auch Marlowes Faust. In diesem Konflikt verzehrt sich Fausts Seele; in der mythologisch-theologischen Einkleidung der Zeit aber heißt das: er fährt zur Hölle. Doch was zuerst als Sünde erscheint, wird später Aufgabe. Es kann noch immer Qualen schaffen, aber es ist keine Sünde mehr: Faust muß gerettet werden.

Vielleicht nicht so sehr Goethe wie die auf ihn folgende Zeit neigt dieser Vereinzelung gegenüber zum Optimismus. Es ist die Zeit, in der Faust als Vorbild und das «Faustische» als repräsentativ empfunden wird. Die großen Katastrophen des zwanzigsten Jahrhunderts aber erzwingen eine Revision; das Vertrauen des Einzelnen auf sich selbst erscheint nun von Grund auf erschüttert. Statt auf sich selbst gestellt erscheint das Individuum nun isoliert und empfindet sein Dasein als Leiden und Schuld. Die Betrachtung der Faustgestalt wendet sich ins Tragische zurück. Bestimmt kein Zufall ist es, daß gleichzeitig mit Thomas Manns «Doktor Faustus», das heißt mit der Rückwendung zu dem vor-Goetheschen, zur Hölle verdammten Faust auch eine neue Interpretation von Goethes Dichtung sich geltend macht.[28] Nun werden schärfer als je zuvor die tragischen Aspekte hervorgehoben. Dies geschieht unter dem Eindruck einer tragischen Wirklichkeit, die auch an Thomas Manns Roman entscheidend mitgeformt hat.

Nichts deutet darauf hin, daß Goethe mit der Gestalt seines Faust ein Sinnbild des deutschen Volkes schaffen wollte, auch wenn der «Faust» zum Sinnbild des deutschen Volkes geworden ist. Und da dieser symbolische Bezug in keiner Weise mehr aufzuheben ist, so handelt Thomas Manns Roman von Anfang an nicht nur von Faust, sondern zugleich von Deutschland.[29] Indem Zeitblom, der fiktive Erzähler, das von 1885—1940 währende Leben Leverkühns in den Jahren der deutschen Katastrophe von 1943—1945 erzählt, und indem er sich immer wieder auf die Zeitereignisse bezieht, wird der Untergang des Einzelnen in den Untergang des Ganzen einbezogen. Auch der Teufelspakt wird nicht von Leverkühn allein geschlossen. Die tragische Verknüpftheit von hoher Begabung und besonderer Gefährdung, die Leverkühns Schicksal ist, wird als deutsches Schicksal sichtbar gemacht. Und da Deutschland der Welt sein Größtes als Musik gegeben hat, so muß auch aus diesem Grunde der Held ein Musiker sein.

Jene Isoliertheit aber, an der Leverkühn nicht zuletzt zerbricht, auch sie ist deutsches Schicksal. Luther auf dem Reichstag zu Worms ist vielleicht das mächtigste Sinnbild einer Haltung, in der Größe und Verhängnis zugleich begriffen sind. Wer wollte verkennen, daß die ungeheure Sicherheit, die ganz auf sich und die innere Stimme vertraut und die damit fähig wird, sich gegen die ganze Welt zu stellen, das Zeichen sowohl des Genies wie des Wahnsinns ist. Die ungeheure Weheklage, die den «Doktor Faustus» beschließt, gilt deshalb nicht nur dem Untergang eines Künstlers, sondern dem Höllensturz eines Volkes. Klage freilich ist der ganze Roman, eine «Buße fürs Außensein»,[30] die Thomas Mann sich selbst auferlegt hat. Doch kann wohl keiner solche Klage anstimmen, der nicht das Leiden mitgelitten hat, von dem sie zeugt.

ANMERKUNGEN

(Goethes Werke werden, soweit nicht anders angegeben, nach der Cottaschen Jubiläums-Ausgabe, Stuttgart und Berlin 1902 ff., zitiert.)

I. SPIEGELUNG

1 Bd. 40, S. 61.

2 Bd. 38, S. 138.

3 Brief vom 30. Oktober 1828.

4 Brief vom 20. Oktober 1831.

5 Brief vom 24. Oktober 1819 an Joh. Fr. L. Wachler. Zum Datum vgl. jedoch *Goethe-Briefe,* hersg. v. Philipp Stein, Bd. 7, Berlin 1924, S. 241, Anm.

6 Bd. 38, S. 168 f.

7 Brief vom 4. August 1815, an Metternich.

8 Gespräch mit Fr. von Müller, 18. Februar 1830.

9 Bd. 39, S. 49. Wesentliches zum ganzen Problem in Fritz Strichs grundlegendem Buch *Goethe und die Weltliteratur,* Bern 1946. Zum Motiv des Spiegels und der Spiegelung bei Goethe vgl. Konrad Burdach, «Faust und Moses», *Sitzungsberichte der Preußischen Akademie der Wissenschaften,* 1912, Franz Koch, *Goethe und Plotin,* Leipzig 1925, und August Langen «Zur Geschichte des Spiegelsymbols in der deutschen Dichtung», *Germanisch-Romanische Monatsschrift,* 1940.

10 Vgl. Goethes Brief an Knebel vom 14. November 1827.

11 Brief vom 2. Oktober 1827.

12 Brief vom 29. Januar 1815, an Eichstädt.

13 Bd. 25, S. 221 ff. und 329.

14 Vgl. Brief vom 1. Dezember 1831, an Wilhelm von Humboldt.

15 Bd. 40, S. 200. — Ueber Goethes Stellung zur Geschichte vgl. vor allem das Goethe-Kapitel in Friedrich Meineckes *Entstehung des Historismus,* München 1936.

16 Bd. 25, S. 234.

17 Gespräch vom 27. März 1825.

18 *Buch der Freunde,* Leipzig 1929, S. 100.

19 Bd. 39, S. 319.

20 *Maximen und Reflexionen,* Schriften der Goethe-Gesellschaft, Bd. 21, S. 189.

21 Brief vom 9. Juli 1820, an C. E. Schubarth.

II. HERKUNFT

[1] *Bemühungen,* Berlin 1925, S. 148.

[2] «Joseph und seine Brüder», *Neue Studien,* Stockholm 1948, S. 164.

[3] *Die Forderung des Tages,* Berlin 1930, S. 81.

[4] *Rede und Antwort,* Berlin 1922, S. 105.

[5] *Ibid.,* S. 85.

[6] *Neue Studien,* S. 174; «Lebensabriß», *Neue Rundschau,* Juni 1930, S. 764. Uebrigens auch auf Richard Wagner, *Leiden und Größe der Meister,* Berlin 1935, S. 95.

[7] *Rede und Antwort,* S. 95.

[8] *Ibid.,* S. 98.

[9] Käte Hamburger, *Thomas Mann und die Romantik,* Berlin 1932.

[10] *Betrachtungen eines Unpolitischen,* Berlin 1922, S. XXIV.

[11] *Bemühungen,* S. 25.

[12] Von Thomas Mann im «Lebensabriß» zitiert, mit dem bezeichnenden Zusatz, «schon, um in irgendeinem höheren Sinn etwas *lernen* zu können, muß man etwas sein». *Neue Rundschau,* Juni 1930, S. 741.

[13] *Ibid.,* S. 732.

[14] *Goethe als Repräsentant des bürgerlichen Zeitalters,* Berlin 1932, S. 9 f.

[15] *Novellen,* I, S. 253.

[16] *Ibid.,* S. 254.

[17] *Rede und Antwort,* S. 380: «Ich habe Gottfried Keller spät kennen gelernt, wie ich vieler deutscher Herrlichkeiten, der Prosa Stifters z. B., selbst der Goethes erst in vorgerücktern Jahren recht ansichtig wurde.» Die Stelle bezieht sich, wie man sieht, nur auf Goethes Prosa. Aber für den Prosaisten Thomas Mann liegt eben, mit Ausnahme des «Faust», die entscheidende Bedeutung in Goethes Prosa. Die zahlreichen Zitierungen aus den Romanen, den Maximen und Reflexionen und den Gesprächen machen dies ja auch deutlich.

[18] *Goethe-Kalender* 1933, S. 34 f.

[19] Otto Zarek, «Neben dem Werk», *Neue Rundschau,* Juni 1925, S. 261.

[20] *Neue Studien,* S. 178 f.

III. NIHILISMUS

[1] *Betrachtungen eines Unpolitischen,* S. 613.

[2] *Goethe als Repräsentant des bürgerlichen Zeitalters,* S. 39 f.

[3] «Lebensabriß», *a. a. O.,* S. 742, und auch im «Tonio Kröger».

[4] *Der Zauberberg,* Bd. I, Berlin 1924, S. 58.

[5] Z. B.: *Goethe als Repräsentant...*, S. 12; *Bemühungen*, S. 132; *Achtung Europa*, S. 51.

[6] *Betrachtungen eines Unpolitischen*, S. 555.

[7] *Der Wille zur Macht*, Leipzig 1930, S. 3.

[8] *Betrachtungen eines Unpolitischen*, S. 516.

[9] *Rede und Antwort*, S. 303.

[10] Brief vom 26. April 1872, an Friedrich von Preen; *Briefe*, hersg. von Fritz Kaphahn, Leipzig 1935, S. 349.

[11] *A. a. O.*, S. 10.

[12] A. a. O., S. 19.

[13] Nicholas Berdyaev, *The End of Our Time*, London 1933, p. 14: «In fact the whole of modern history has been an immanent dialectic of self-revelation and then of self-negation of the very principles which caused its first beginnings.» Vgl. a. Ernst Troeltsch, *Die Bedeutung des Protestantismus für die Entstehung der modernen Welt*, München 1928, 5. Aufl., S. 46 ff.; H. A. Korff, «Geist und Geschichte der Aufklärung» in: *Die Dichtung von Sturm und Drang im Zusammenhang der Geistesgeschichte*, Leipzig 1928; Walther Rehm, *Experimentum Medietatis*, München 1947.

[14] *Sämtliche Werke*, hersg. v. Fritz Bergemann, Leipzig 1922, S. 76.

[15] *Nietzsches Werke*, Klassiker-Ausgabe, Leipzig o. J., Bd. 5, S. 148.

[16] *Theaterstücke*, Bd. IV., Berlin o. J., S. 372.

[17] *Der Tod in Venedig*, 39.—43. Aufl., Berlin 1921, S. 130.

[18] Sören Kierkegaard, *Ueber den Begriff der Ironie*, deutsch von H. H. Schaeder, München 1929. — S. a. Karl Löwith, *Kierkegaard und Nietzsche*, Frankfurt 1933, S. 15.

[19] *Fragmente*, hersg. v. von der Leyen, 1904, S. 141.

[20] *Betrachtungen eines Unpolitischen*, S. 540.

[21] *Rede und Antwort*, S. 107. Vgl. a. «Meerfahrt mit Don Quijote»: «Freiheit gewinnt erst Wert, sie wird erst rangverleihend, wenn sie der Unfreiheit abgewonnen wird, wenn sie Befreiung ist.» *Leiden und Größe der Meister*, Berlin 1935, S. 261.

[22] *Goethe als Repräsentant...*, S. 34 ff.

[23] Tatsächlich hat Schiller an ähnlicher Befangenheit Fremden gegenüber gelitten wie Goethe. Jean Paul etwa, der mit Behagen Charlotte von Kalbs Wort weitergibt, Goethe bewundere nichts mehr, nicht einmal sich, jedes Wort sei Eis, und der selbst Goethe einen «Gott» nennt, «kalt, einsilbig, ohne Akzent», den erst der Champagner schüren müsse *(Goethes Gespräche, hersg. v. Biedermann, Bd. I., Leipzig 1909, S. 247)*, hat das Wort vom «felsigten Schiller» geprägt, «an dem wie an einer Klippe alle Fremde zurückspringen» *(Schiller Gespräche, hersg. v. Petersen, Leipzig 1911, S. 270)*; Schel-

ling ist erstaunt, «wie dieser berühmte Schriftsteller im Sprechen so furchtsam sein kann. Er ist blöde und schlägt die Augen unter usw.» (ibid. S. 268), und Goethe selbst erzählt, daß wenn ein Fremder auf eine bestimmte Stunde bei Schiller bestellt war, Schiller in der Regel vor lauter «Apprehension» krank war (zu Eckermann, 7. Oktober 1827), von den Berichten der Opfer solcher Apprehension ganz zu schweigen.

24 *A. a. O.*, S. 34. Daß Thomas Mann sich längere Zeit mit dem Problem beschäftigt haben muß, geht auch daraus hervor, daß schon in «Goethe und Tolstoi» sich ähnliche Bemerkungen finden, zum Teil wörtlich anklingend, aber noch nicht so entschieden formuliert.

25 «Um einen Goethe von innen bittend», *Neue Rundschau*, 1932, S. 565.

26 *Ibid.*, S. 568.

27 «Zu Goethes Wahlverwandtschaften», *Neue Rundschau*, 1925, S. 397.

IV. IRONIE

1 *Bemühungen*, S. 56.

2 *Rede und Antwort*, S. 225.

3 *Königliche Hoheit*, Sonderausgabe 1932, S. 216.

4 Vgl. a. Hermann Weigand, «Der symbolisch-autobiographische Gehalt von Thomas Manns Romandichtung ‚Königliche Hoheit'», *Publications of the Modern Language Association of America*, Sept. 1931, p. 867-879.

5 «Lebensabriß», *a. a. O.*, S. 751.

6 *Thomas Mann's Novel Der Zauberberg*, 1933, p. 47.

7 «Königliche Hoheit» mit seiner «optimistischen Wendung ins Alltagsglück» und der Vereinigung der Liebenden nimmt eine solche Ausnahmestellung im Werke Thomas Manns ein, daß man vom «Märchenstil» dieses Werkes gesprochen hat, worunter eben die scheinbar realisierte Unmöglichkeit innerhalb dieser Welt, die «Lösung des Nichtzulösenden» zu verstehen ist. (Ernst Bertram, «Thomas Mann, Zum Roman ‚Königliche Hoheit'», *Mitteilungen der literarhistorischen Gesellschaft Bonn*, 1909). Vgl. a. das Korreferat von F. Ohmann, *ibid.*, S. 271 ff. Ohmann nimmt an, im Gegensatz zu Bertram, der auch hinter dem glücklichen Schluß von «Königliche Hoheit» schon die kommende Enttäuschung lauern sieht, daß wir an ein «streng eingeschränktes, aber durchaus positives, dauerndes Glück der beiden Ausnahmemenschen glauben sollen.»

8 *Bemühungen*, S. 274.

9 *Ibid.*, S. 271.

10 *Ibid.*, S. 33.

11 *Ibid.,* S. 35.

12 *Ibid.,* S. 85.

13 *Die Neue Rundschau,* 1925, S. 394.

14 *Bemühungen,* S. 101.

15 *Die Vertauschten Köpfe,* Stockholm 1940, S. 199. — Aehnlich sieht A. F. B. Clark in der Beziehung zwischen Joseph und seinen Brüdern ein wechselseitiges Streben des «Geistes» zur «Natur», und der «Natur» zum «Geist», und in Joseph selbst eine Synthese der beiden Elemente, die beim frühen Thomas Mann beispielsweise als Tonio Kröger und Hans Hansen einander gegenüberstanden. Siehe «The Dialectical Humanism of Thomas Mann», *University of Toronto Quarterly,* October 1938, p. 104.

16 *Ibid.,* S. 199.

17 Ueber die Beziehung zwischen den «Vertauschten Köpfen» und Goethes «Paria»-Ballade vgl. im einzelnen Marjorie Lawson, «The Transposed Heads of Goethe and of Mann», *Monatshefte für deutschen Unterricht,* Febr. 1942, S. 87 ff.

18 Tragisch im Sinne der Schelerschen Auffassung, wie sie im «Phänomen des Tragischen», *Vom Umsturz der Werte,* Bd. I., Leipzig 1923, entwickelt ist.

19 *Betrachtungen eines Unpolitischen,* S. 62.

20 *Ueber den Begriff der Ironie,* S. 265. — Dasselbe meint Gundolf, wenn er in der Ironie ein Phänomen «geistiger Selbstflucht» sieht. Friedrich Gundolf, *Romantiker,* Berlin 1930, S. 135.

21 Ganz ähnlich Irvin Babbit: «Romantic Irony... is an attempt to give to a grave psychic weakness the prestige of strength». *Rousseau and Romanticism,* Boston and New York 1919, p. 263.

22 «Ueber Goethes ,Faust'», *Adel des Geistes,* Stockholm 1945, S. 685.

23 Vgl. a. *Goethe als Repräsentant...,* S. 24.

24 *Der Zusammenbruch des deutschen Idealismus,* München 1931, S. 317.

25 Vgl. Rudolf Bach, *Größe und Tragik der Romantik,* München 1938, S. 24.

26 Ueber die Identität von Ironie und Freiheit vgl. u. a. Adam Müller, *Vermischte Schriften,* Bd. II, S. 167; Rudolf Haym, *Die romantische Schule,* Berlin 1920, S. 296; Ricarda Huch, *Die Romantik,* Bd. I, Leipzig 1920, S. 279; Friedrich Gundolf, *Romantiker,* Berlin 1930, S. 13. — Eine gegensätzliche Auffassung vertritt Käte Friedemann, «Die romantische Ironie», *Zeitschrift für Aesthetik und allgemeine Kunstwissenschaft,* XIII, S. 277 ff.

27 *A. a. O.,* S. 270.

28 *Ibid.,* S. 261.

29 *Ibid.,* S. 289.

30 *Ibid.*, S. 329.

31 Vgl. Georg von Lukács, «Die Theorie des Romans», *Zeitschrift für Aesthetik und allgemeine Kunstwissenschaft,* XI : «Die Ironie des Dichters ist die negative Mystik der gottlosen Zeiten» (S. 269) ; und : «Die Ironie als Selbstaufhebung der zu Ende gegangenen Subjektivität ist die höchste Freiheit, die in einer Welt ohne Gott möglich ist» (S. 271).

32 *Wörterbuch der Philosophie,* Bd. II, Leipzig 1924, S. 115 f.

33 *Adel des Geistes,* S. 685.

34 K. W. F. Solger, *Erwin. Vier Gespräche über das Schöne und die Kunst,* Berlin 1815, Bd. II, S. 277.

35 Ganz ähnlich sagt Erich Franz in seinem Buch *Goethe als religiöser Denker,* Tübingen 1932, S. 90 : «Die bedingungslose Begeisterung Fausts bedarf der Korrektur. Sein Komplement ist Mephisto, der kühle Skeptiker und Verstandesmensch, nüchtern, ironisch.»

36 Franz nimmt an, «daß man in der Ironie auf eines der letzten Fundamente stößt, von wo aus die gesamte Persönlichkeit Goethes, seine Weltanschauung und Religionsauffassung verstanden werden müssen» *(a. a. O.,* S. 62). — Man muß dabei jedoch beachten, daß Franz den Begriff der Ironie so sehr ausweitet, daß er selbst Humor, Satire und Sarkasmus mit umfaßt.

37 *A. a. O.,* S. 336.

38 *Ibid.*, S. 337 f.

39 *Sämtliche Werke,* Bd. 40, S. 63.

40 Zu Eckermann, 19. April 1824.

41 *Sören Kierkegaard, a. a. O.,* S. 336.

42 *Bd.* 30, S. 221 f.

43 *Bd.* 37, S. 26.

44 *Betrachtungen eines Unpolitischen,* S. 431.

45 *Rede und Antwort,* S. 29.

46 *Betrachtungen eines Unpolitischen,* S. 61, 77, 610 ; *Bemühungen,* S. 137.

47 Hermann J. Weigand, «Der symbolisch-autobiographische Gehalt von Thomas Manns Romandichtung ‚Königliche Hoheit'», *Publications of the Modern Language Association of America,* September 1931, S. 867 - 879.

48 *Bemühungen,* S. 272.

49 *Betrachtungen eines Unpolitischen,* S. XXIX.

50 *Bemühungen,* S. 56. Inzwischen ist, worauf mich Josef Körner freundlichst aufmerksam macht, die Lesart «Tugend» in «Jugend» verbessert worden. Siehe Friedrich Beißner, «Miszellen zu Hölderlin», *Zeitschrift für deutsche Philologie,* 1934, S. 259.

146

51 *Bemühungen,* S. 188.

52 So verneint Karl Peter Biltz in seiner Dissertation *Das Problem der Ironie in der neueren deutschen Literatur, insbesondere bei Thomas Mann,* Frankfurt 1932, S. 55, ausdrücklich jede Entwicklung bei Thomas Mann im Sinne eines Fortschritts vom Pessimismus, von der « Sympathie mit dem Tode » zum Lebensdienst.

53 Kenneth Burke, *Counter-Statement,* New York 1931, S. 130 ; in ähnlichem Sinne Harry Slochower, *Thomas Mann's Joseph Story,* New York 1938, S. 61.

54 *Die Forderung des Tages,* S. 175.

V. SYNTHESE

1 *Die Forderung des Tages,* S. 288.

2 *Betrachtungen eines Unpolitischen,* S. XXIX und 47. S. a. den Nietzsche Aufsatz in den *Neuen Studien.*

3 *Corona,* 1933, S. 279.

4 Vgl. Ewald Boucke, *Goethes Weltanschauung auf historischer Grundlage,* Stuttgart 1907, S. 329 : «Goethes Weltanschauung ist eine Synthese von Natur und Geist.»

5 *Betrachtungen eines Unpolitischen,* S. 80. — Wenn R. A. Schröder («Thomas Mann», *Neue Rundschau,* Juni 1935, S. 571) zu diesem Satz bemerkt: «Die hier getroffene Entscheidung ist ausschlaggebend. Wer sie trifft, und zwar vom ‚Aesthetischen' her, der hat Meisterrecht erworben», so ist damit noch einmal die Ueberlegenheit des «Seins» über das «Machen» unterstrichen.

6 Nietzsche, *Klassiker-Ausgabe,* Bd. 8, Leipzig o. J., S. 189.

7 *Rede und Antwort,* S. 272.

8 *Werke,* Weimarer Ausgabe, II, 11, S. 182.

9 *Die Forderung des Tages,* S. 289.

10 *Ibid.,* S. 306.

11 *Ibid.,* S. 294.

12 *Leiden und Größe der Meister,* S. 141.

13 *Die Forderung des Tages,* S. 397.

14 *Ibid.,* S. 274.

15 *Ibid.,* S. 279.

16 *Ibid.,* S. 291.

17 *Ibid.,* S. 81.

18 *Rede und Antwort,* S. 93.

19 *Die Forderung des Tages,* S. 343.

20 *Ibid.,* S. 300.

21 *Bd.* 33, S. 85.

22 *Bd. 28,* S. 155.
23 Boucke, *a. a. O.,* S. 376 f.
24 *Goethe als Repräsentant . . .,* S. 29.
25 *Ibid.,* S. 28.
26 *Corona,* März 1933, S. 301.
27 *Betrachtungen eines Unpolitischen,* S. XVIII.
28 Weigand, *a. a. O.,* S. 171, gibt eine Anzahl solcher Wortverbindungen
   für den «Zauberberg», «to show how Thomas Mann's will to see
   life in terms of a synthesis of opposites determines his way of com-
   bining characteristic epithets»; s. a. *ibid.,* S. 157.
29 *Goethe als Repräsentant . . .,* S. 14.
30 *Corona,* März 1933, S. 279. — Dasselbe hat übrigens schon Gundolf
   an Goethe gerühmt: «Die Vereinigung der ursprünglichen Glut mit
   dem weisen Ordnerblick, der Gefühlsdichte mit der Wissensweite, ...
   diese *Ungebrochenheit* der eigenen Leidenschaft bei gleichzeitigem
   Wissen um den Sinn der Leidenschaft im Weltplan», was er überdies nachdrücklich von der «Ironie» abhebt, «der Brechung des
   Lebens durch das Denken». *Goethe,* Berlin 1918, S. 598.
31 *Adel des Geistes,* S. 663.
32 *Corona,* Febr. 1933, S. 298.
33 *Die Neue Rundschau,* April 1925, S. 391 - 401.
34 *Rede und Antwort,* S. 190.
35 *Goethe als Repräsentant . . .,* S. 22.
36 *Die Forderung des Tages,* S. 47.
37 *Betrachtungen eines Unpolitischen,* S. 73.
38 *Ibid.,* S. 137.
39 *Der Zauberberg,* Bd. II, S. 283.
40 *Ibid.,* S. 285.
41 Weigand, *a. a. O.,* S. 85 f.

VI. DEUTSCHTUM

1 «Gedanken im Kriege», in *Friedrich und die große Koalition,* Berlin
  1915, S. 30.
1a *Werke,* Klassiker-Ausgabe, Bd. 7, Leipzig o. J., S. 209.
2 *Bemühungen,* S. 99.
3 *Betrachtungen eines Unpolitischen,* S. 162.
4 «Thomas Manns ‚Betrachtungen eines Unpolitischen'», *Mitteilungen der literarhistorischen Gesellschaft Bonn,* 1917/18, S. 81.
5 *Die Forderung des Tages,* S. 184.
6 *Betrachtungen eines Unpolitischen,* S. 92.
7 *Ibid.,* S. 17.

8 *Ibid.*, S. XLVII.

9 *Ibid.*, S. 17.

10 « Gedanken im Kriege », *a. a. O.*, S. 28.

11 *Ibid.*, S. 19.

12 Aehnlich Ernst Bertram, *Deutsche Gestalten*, Leipzig 1934 ; S. 119 :
« Der Fluch des deutschen Wesens war immer die Tarnkappe, die es
trägt. Die Unerkennbarkeit, die verschleierte und verschleiernde
Vieldeutbarkeit alles deutschen ‚eigentlichen Seins'. Der Mangel
eines gültigen Gleichnisses seiner selbst. »

13 *Betrachtungen eines Unpolitischen*, S. 8.

14 *Rede und Antwort*, S. 273.

15 Vgl. a. James H. Nichols in seiner Einleitung zur Uebersetzung von
Burckhardts « Weltgeschichtlichen Betrachtungen », *Force and Free-
dom*, New York 1943, S. 8.

16 *Betrachtungen eines Unpolitischen*, S. 116.

17 *Ibid.*, S. 132.

18 *Ibid.*, S. 316.

19 So sieht Edmond Vermeil in seinem Buch *Doctrinaires de la Révo-
lution Allemande*, Paris 1939, Thomas Mann als einen Wortführer
des « ewigen deutschen Protestes » gegen den « Intellektualismus »
des Westens, und in diesem Sinne mit Keyserling und Rathenau als
einen — unwillentlichen — Wegbereiter des Nationalsozialismus,
der schließlich mit seinem « Appell an die Vernunft » vom Jahre
1930 der steigenden Flut nicht viel anders als Goethes Zauberlehr-
ling gegenübersteht (S. 80). — Vgl. a. u. a. Luis Araquistain, « Good
Germans ? », *Times Literary Supplement*, Aug. 21, 1943 ; Enid Star-
kie, « A Word on Thomas Mann », *Spectator*, Sept. 10, 1943 ; Eric
Russell Bentley, in einer Besprechung von Joseph G. Brennan, « Thomas Mann's World », *Books Abroad*, Summer 1943, S. 276, und Henry
Peyre, « Thomas Mann and the Germans », a Letter to the Editor,
Atlantic Monthly, July 1944. Hierzu Thomas Manns scharfe Ab-
wehr : « In my Defense », *Atlantic Monthly*, October 1944.

20 *Virginia Quarterly Review*, Summer 1941. Vgl. a. Thomas Mann,
Das Problem der Freiheit, Stockholm 1939, S. 26.

21 *Säkular-Ausgabe*, Bd. 2, S. 386.

22 « Gedanken im Kriege », *a. a. O.*, S. 21.

23 *Betrachtungen eines Unpolitischen*, S. 306.

24 *Ibid.*, S. 411.

25 *Ibid.*, S. 432.

26 *Ibid.*, S. 136.

27 *Forderung des Tages*, S. 138.

28 *Betrachtungen eines Unpolitischen*, S. 480. — Summarisch abschlie-
ßend heißt es später in «Goethe und Tolstoi»: «... über sein strikt
negatives Verhältnis zur französischen Revolution ist kein Wort zu
verlieren». *(Bemühungen, S. 95.)*

29 *Betrachtungen eines Unpolitischen*, S. 189.

30 *Ibid.*, S. 192.

31 *Ibid.*, S. 506.

32 *Ibid.*, S. 577.

33 *Ibid.*, S. 138.

34 *Ibid.*, S. 141.

35 *Bemühungen*, S. 93.

36 S. 31.

37 *Betrachtungen eines Unpolitischen*, S. 170.

38 *Ibid.*, S. 265.

39 *Ibid.*, S. 268.

40 *Ibid.*, S. 353.

41 *Ibid.*, S. 216.

42 *Ibid.*, S. 268.

43 *Bemühungen*, S. 98.

44 *Corona*, März 1933, S. 297.

45 *Die Forderung des Tages*, S. 57.

46 *Corona*, März 1933, S. 303.

47 *Goethe als Repräsentant ...*, S. 30.

48 *Betrachtungen eines Unpolitischen*, S. 531.

49 *Ibid.*, S. 257.

50 *Ibid.*, S. 301.

51 *Ibid.*, S. 257.

52 *Ibid.*, S. 527.

53 *Rede und Antwort*, S. 107.

54 *Betrachtungen eines Unpolitischen*, S. 33.

55 *Ibid.*, S. 514.

56 *Ibid.*, S. 284, 286, 287.

57 *Die Forderung des Tages*, S. 186.

58 *Rede und Antwort*, S. 365.

VII. HUMANITÄT

1 *Bemühungen*, S. 333 f.

2 *Die Forderung des Tages*, S. 193. — Die Fassung dieser Stelle ist
unpersönlich; aber die gemachte Unterscheidung hat zweifellos für
Thomas Mann selbst Geltung.

3 *Bemühungen*, S. 338.

4 *Ibid.,* S. 327.

5 *Ibid.,* S. 327.

6 *Ibid.,* S. 163.

7 *Die Forderung des Tages,* S. 382.

8 *Bemühungen,* S. 132.

9 Aehnlich, wenn auch von ganz anderen Voraussetzungen aus Moeller van den Bruck: «Konservativ sein bedeutet heute: dem deutschen Volke die Form seiner Zukunft zu finden.» *(Das Dritte Reich,* Hamburg 1931, S. 215.)

10 *Bemühungen,* S. 164.

11 *Sämtliche Werke,* Bd. 30, S. 36. — Die Stelle bezieht sich auf Goethes Gegensatz zur französischen Revolution und die «greulichen, unaufhaltsamen Folgen solcher gewalttätig aufgelösten Zustände». Andererseits aber hat sich doch Goethe auch ausdrücklich dagegen verwahrt, daß man ihn, weil er die «Revolutionen haßte», einen «Freund des Bestehenden» heißen könne (zu Eckermann, 4. Jan. 1824), und in ähnlichem Sinne bestreitet auch Thomas Mann gelegentlich seinen eigenen Konservatismus; vgl. *Betrachtungen eines Unpolitischen,* S. 625: «Konservativ? Natürlich bin ich es nicht; denn wollte ich es meinungsweise sein, so wäre ich es immer noch nicht meiner Natur nach, die schließlich das ist, was wirkt.»

12 *Achtung Europa!,* Stockholm 1938, S. 127.

13 *Die Forderung des Tages,* S. 206: «... das revolutionäre Prinzip, es ist schlechthin der Wille zur Zukunft.»

14 Vgl. hierzu Detlev W. Schumann, «Gedanken zu Hofmannsthals Begriff der ,Konservativen Revolution'», *Publications of the Modern Language Association of America,* LIV., S. 853 - 899.

15 *Achtung Europa!,* S. 127 ff.

16 *Goethe als Repräsentant . . .,* S. 33.

17 *Corona,* a. a. O., S. 303.

18 *Goethe als Repräsentant . . .,* S. 31.

19 *Achtung Europa!,* S. 133.

20 *Leiden und Größe der Meister,* S. 153.

21 *Betrachtungen eines Unpolitischen,* S. 98.

22 *Die Forderung des Tages,* S. 19, 273, 295.

23 *Ibid.,* S. 19, 209.

24 *Bemühungen,* S. 154.

25 *Achtung Europa!,* S. 132.

26 *Ibid.,* S. 133.

27 *Ibid.,* S. 104.

28 *Bemühungen,* S. 171.

29 Vgl. Korff, «Die Romantisierung des Humanitätsideals», *Festschrift für Julius Petersen*, 1938, S. 30: «Die Einbeziehung des Todes in die Idee der Bildung — das eigentlich ist die romantische Vollendung des Humanitätsideals.»

30 *Bemühungen*, S. 166 f.

31 *Ibid*, S. 96.

32 *Goethe als Repräsentant* . . ., S. 14.

33 *Ibid.*, S. 13. — Ueber das Verhältnis Goethes zu Luther vgl. Ernst Bertram, *Deutsche Gestalten*, S. 120: «Man könnte das Werk Goethes als eine Vollendung Luthers betrachten. Man kann es auch ansehen als den Versuch einer Wiedergutmachung Luthers: als die Rückeroberung der sichtbaren Welt, die durch Luthers musikalischen Protestantismus zum mindesten für den größeren Teil Deutschlands verschüttet worden war.»

34 *Rede und Antwort*, S. 276.

35 *Die Forderung des Tages*, S. 59. — Thomas Mann hat vielfach bezeugt, wie tief er sich der Literatur des Ostens verpflichtet fühlt. Vgl. a. André von Gronicka, «Thomas Mann and Russia», *Germanic Review*, April 1945. — Auch für Rilke ist dieser Gegensatz von Osten und Westen von zentraler Bedeutung.

36 *Die Forderung des Tages*, S. 51.

37 *Bemühungen*, S. 189.

38 *Goethe-Kalender* 1933, S. 39.

VIII. GRÖSSE

1 Auf sprachliche Aehnlichkeiten in Thomas Manns und Goethes Altersstil weist Meno Spann hin («Goethisches in Manns Josephzyklus», *Modern Language Quarterly* 1944). Käte Hamburgers grundlegende Studie *Thomas Manns Roman «Joseph und seine Brüder»*, Stockholm 1945, S. 145, sieht Joseph und Goethe als die «großen Symbole der Synthese, zu der Thomas Manns Denken gelangt zu sein scheint», ohne jedoch diese These im einzelnen weiter zu verfolgen.

2 *Lotte in Weimar*, Stockholm 1940, S. 292.

3 Brief vom 23. Januar 1778.

4 Brief vom 4. Oktober 1816; in *Goethe, Kestner und Lotte*, hersg. von Eduard Berend, München 1914, S. 118.

5 *Goethes Gespräche*, hersg. von Flodoard Frhr. von Biedermann, Leipzig 1909 ff., Bd. II, S. 367 f.

6 *Bd. 30*, S. 298.

7 *Bemühungen*, S. 28 f.

8 *Corona*, hersg. von Arno Schirokauer und Wolfgang Paulsen, Durham 1941, S. 201.

9 *Bemühungen*, S. 30.

10 Gespräch vom 16. Dezember 1828.

11 Vgl. Karoline von Wolzogen, *Schillers Leben*, Stuttgart o. J., S. 6.

12 *Lotte in Weimar*, S. 71.

13 *Ibid*, S. 79.

14 Vgl. *Goethes Gespräche*, Bd. IV, S. 404.

15 *Lotte in Weimar*, S. 90 ff.; vgl. *Goethe als Repräsentant . . .*, S. 34 ff. und *Bemühungen*, S. 72 ff.; s. a. S. 36 f. dieser Arbeit.

16 *Lotte in Weimar*, S. 212.

17 *Ibid.*, S. 160.

18 *Ibid.*, S. 65.

19 *Ibid.*, S. 114.

20 *Ibid.*, S. 117.

21 Brief vom 8. Nov. 1777.

22 *Lotte in Weimar*, S. 245.

23 *Ibid.*, S. 282.

24 *Goethes Gespräche*, Bd. II, S. 340 f.

25 S. 299 f.

26 *Goethes Gespräche*, Bd. II, S. 358.

27 S. 317 f.

28 *A. a. O.*, S. 191.

29 *Lotte in Weimar*, S. 318.

30 *Goethes Gespräche*, Bd. III, S. 240.

31 Riemers schlechtes Verhältnis zu August machte für eine Zeitlang seinen Verkehr im Hause Goethe unmöglich. Vgl. Goethes Tagebücher und den Brief an Riemer vom Juli 1816.

32 *Lotte in Weimar*, S. 234.

IX. DÄMONIE

1 «Mein gegenwärtiges dichterisches Anliegen war ja etwas wie eine späte Rück- und Heimkehr in die deutsche altstädtische und musikalische Sphäre jenes Erstlingsromans [«Buddenbrooks»]», erklärt Thomas Mann selbst («Die Entstehung des ‚Doktor Faustus‘», *Neue Rundschau*, Winter 1949, S. 56). Der a. a. O. erschienene erste Teil dieses «Romans eines Romans» wird mir leider erst nach Abschluß der vorliegenden Arbeit zugänglich und konnte somit nicht mehr herangezogen werden. Er stellt aufs neue unter Beweis, welch unübertrefflicher Interpret seines eigenen Werkes Thomas Mann ist, wie er überhaupt in der Verbindung von äußerster Bewußtheit und Produktivität völlig unvergleichlich ist.

2 *Neue Studien,* Stockholm 1948, S. 75 f.

3 Wie Thomas Mann mitteilt, geht eine erste Notiz zum «Doktor Faustus» bis ins Jahr 1901 zurück. *(Neue Rundschau,* Winter 1949, S. 27.)

4 *Deutschland und die Deutschen,* Stockholm 1947, S. 12 f.

5 *Ibid.,* S. 14.

6 Gustav René Hocke, «Diese Grenze bedeutet das Ende der Welt», Notizen aus Lübeck und Travemünde, *Neue Zeiutng,* 29. Januar 1949.

7 *Deutschland und die Deutschen,* S. 17 f.

8 *Ibid.,* S. 19.

9 *Doktor Faustus,* Stockholm 1947, S. 58.

10 Ernst Bertram, *Nietzsche,* 4. Aufl., Berlin 1920, S. 104.

10a *Neue Studien,* S. 110 ff., *Doktor Faustus,* S. 220 ff.; vgl. «Die Entstehung des ‚Doktor Faustus'», S. 35 f.: «Da ist ... die wörtliche Uebernahme von Nietzsches Kölner Bordell-Erlebnis und seiner Krankheitssymptomatik, die Ecce Homo-Zitate des Teufels, das — kaum einem Leser bemerkliche — Zitat von Diät-Menus nach Briefen Nietzsches aus Nizza, oder das ebenfalls unauffällige Zitat von Deussens letztem Besuch mit dem Blumenstrauß bei dem in geistige Nacht Versunkenen.»

11 «Die Entstehung des ‚Doktor Faustus'»: «... als die Musik ... nur Vordergrund und Repräsentation, nur Paradigma war für Allgemeineres, nur Mittel, die Situation der Kunst überhaupt, der Kultur, ja des Menschen, des Geistes selbst in unserer durch und durch kritischen Epoche auszudrücken.» (S. 40 f.)

12 *Deutschland und die Deutschen,* S. 15.

13 «Säkularisierung des Teufels», *Neue Rundschau,* Frühjahr 1948, S. 201.

14 *Adel des Geistes,* S. 479.

15 *Ibid.,* S. 477 f.

16 Hierauf weist Frederick C. Sell hin, in seinem «Kommentar zu Thomas Manns ‚Doktor Faustus'», *Monatshefte,* April 1948, S. 199.

17 *Neue Studien,* S. 114 f.

18 *Doktor Faustus,* S. 420.

19 *Ibid.,* S. 193.

20 J. Scheible, *Das Kloster,* Bd. II, Stuttgart 1846, S. 966.

21 *Sämtliche Werke,* Bd. 40, S. 335.

22 Bd. 36, S. 237.

23 Brief an Goethe vom 2. Juli 1796.

24 *Doktor Faustus,* S. 163.

25 *Ibid.,* S. 420.

26 *Zauberberg II,* S. 260.

27 *Doktor Faustus,* S. 543.

28 Vgl. hierzu Johannes Pfeiffer, *Goethes Faust,* Bremen 1947, S. 7:
«Goethes Faust trägt den Untertitel: ‚Eine Tragödie': ein Umstand,
der vordeutend darauf hinweist, daß es sich hier eben gerade nicht
um den Aufstieg eines Menschen zur Selbstvollendung, sondern um
einen Menschenweg handelt, der bis ans Ende im Zwielicht zwischen Glauben und Verzweiflung bleibt.» Siehe auch u. a. Wilhelm
Böhm, *Faust der Nichtfaustische,* Halle 1933; Ernst Beutler, *Besin-
nung,* Wiesbaden 1946; Reinhold Schneider, «Fausts Rettung» in
Dämonie und Verklärung, Vaduz 1947; Benno von Wiese, *Faust als
Tragödie,* Stuttgart o. J.; Georg Müller, *Goethe und die deutsche
Gegenwart,* Gütersloh 1946; Bernhard Blume, «Goethe und die
Deutschen», *Monatshefte,* Januar 1948; Karl Jaspers, «Unsere Zu-
kunft und Goethe», *Die Wandlung,* Oktober 1947. Zu letzterem:
Werner Milch, «Zwei Goethereden», *Deutsche Rundschau,* Juni 1948.

29 «Die Entstehung des ‚Doktor Faustus'», S. 31 f.: «...Zusammen-
hang des Sujets mit den deutschen Dingen, der deutschen Welt-
Einsamkeit überhaupt. Hier liegen Symbolwerte...» S. 34: «...die
Parallelisierung verderblicher, in den Kollaps mündender Euphorie
mit dem faschistischen Völkerrausch...»

30 Thomas Mann, «Die Aufgabe des Schriftstellers», *Die Neue Zeitung,* 26. September 1947.